L'embarquement pour Madère

Albertte Gauthier

NANCY JOHN

L'embarquement pour Madère

Le temps d'un livre
Le temps d'un rêve

Titre original : *To Trust Tomorrow* (57)
© 1981, Nancy John
Originally published by Sɪʟʜᴏᴜᴇᴛᴛᴇ Bᴏᴏᴋs
a Simon & Schuster division of Gulf
& Western Corporation, New York

Traduction française de : Jean-Baptiste Damien
© 1982, Éditions J'ai Lu
31, rue de Tournon, 75006 Paris

1

Romina était la seule femme dans cette pièce emplie d'hommes.

Les chefs de service de l'agence de publicité Astral s'étaient réunis dans la salle du conseil pour leur conférence hebdomadaire, et elle faisait de son mieux pour être à la hauteur de l'atmosphère électrique et affairée qui l'entourait. Elle avait mis à cette intention un élégant tailleur-pantalon de lainage sombre et ramené en arrière la masse de ses cheveux blonds, maintenus par un simple ruban. Mais elle ne cessait de penser à la lettre qu'elle avait reçue de Miguel le matin même, et elle avait du mal à garder l'expression animée, l'esprit aiguisé requis d'un publicitaire performant.

– Eh bien, Romi, c'est d'accord?

Romina sursauta, frappée de plein fouet par la question du directeur de l'agence, John Barkwith. La soixantaine, les tempes argentées et les épaules légèrement voûtées, John était de loin le plus âgé de l'assistance. Mais on ne pouvait douter un seul instant de son autorité.

– Désolée, J.B., balbutia Romina. Vous disiez?

– Je demandais, ma chère Romi, si vous pouviez terminer les trois projets d'affiche pour les parfums Halcyon avant ce soir?

– Oh, oui... bien sûr! affirma-t-elle. Comptez sur moi!

Quelques minutes plus tard, la réunion prit fin et

ce fut l'exode général. Seul Desmond Bellamy s'attarda près de Romina, tandis qu'elle rangeait diverses esquisses dans son carton à dessin.

– Chérie, à quoi rêvais-tu tout à l'heure? demanda-t-il. J'étais persuadé que J.B. allait te passer un savon. Tu as de la chance qu'il soit dans un bon jour.

Romina lui lança un regard désemparé. Avant la réunion, elle s'était glissée dans le bureau du directeur et lui avait soutiré la permission de s'absenter quelques jours. Pourquoi était-ce si difficile, à présent, d'annoncer à Desmond, l'homme qu'elle aimait, qu'ils allaient peut-être enfin pouvoir se marier?

– J.B. savait que j'avais des soucis, commença-t-elle d'une voix hésitante.

Le regard gris acier de Desmond se fit soupçonneux.

– Toi, préoccupée? Et tu ne m'en as pas parlé?

– Je voulais le faire, se défendit-elle. Mais... avec toute cette agitation, ce matin, je n'ai pas encore eu l'occasion. Je... J'ai reçu une lettre de Miguel.

– Je vois! Qu'est-ce qu'il te veut, ton sacré mari?

Romina avait la lettre dans son sac, mais, finalement, elle préféra ne pas la montrer à Desmond.

– Bonne nouvelle, Desmond! s'écria-t-elle avec une gaieté un peu forcée. Miguel est d'accord pour envisager le divorce. Mais il veut que j'aille à Madère en parler avec lui. Il n'a pas le temps de venir à Londres, tu comprends.

Desmond n'eut pas l'air aussi heureux qu'elle l'avait espéré, et son visage s'assombrit encore davantage.

– Non, je ne comprends pas, fit-il avec irritation. Pourquoi faudrait-il que tu ailles le voir? Du moment que les deux parties sont d'accord, cette démarche est inutile.

– Je sais, avoua-t-elle, mais il vaut mieux en passer par là, tu ne crois pas? Il a déjà mis tellement de temps à admettre simplement l'idée de divorcer, je ne veux pas courir le risque qu'il revienne sur sa parole uniquement pour m'embêter. Tel que je le connais, il en est tout à fait capable.

— Que le diable l'emporte! explosa Desmond. Enfin, tu dois avoir raison... Quand veux-tu que nous partions? Je peux me libérer, pas le week-end prochain, mais l'autre. Ça ira?

— Oh! Mais tu n'as pas besoin de m'accompagner, protesta Romina en rougissant. Ce serait même une erreur. Tu vas te disputer avec Miguel et cela n'arrangerait rien.

Desmond approuva à contrecœur.

— Au moins, tu ne t'installes pas chez lui?

— Bien sûr que non! dit-elle précipitamment. Je descendrai à l'hôtel.

Il sembla soulagé.

— Tu comptes partir quand?

— Tout est arrangé... J.B. m'a permis de quitter le bureau dès ce soir. Je prends l'avion demain pour Madère.

— Demain? s'écria Desmond, stupéfait. L'autre va se dire qu'il n'a qu'à lever le petit doigt pour que tu accoures!

— Je pensais te faire plaisir, répliqua Romina d'un ton de reproche. Après tout, il est inutile de faire traîner, tu ne crois pas?

— Tu as raison, chérie. Plus vite nous serons débarrassés de Miguel da Milaveira, mieux ça vaudra! Tu restes combien de temps? ajouta-t-il, soudain anxieux.

— J.B. m'a laissé quartier libre. Le patron est pour nous, Desmond! Tout ce qu'il veut, c'est que nous nous mariions.

Le directeur de l'agence Astral avait de bonnes raisons pour cela. Elle n'était pas seule à se rendre compte que, depuis l'irruption de Miguel dans sa vie, elle était de moins en moins la collaboratrice brillante et appréciée de tous. Embauchée par l'agence Astral à vingt-et-un ans, sitôt sortie de son école d'arts décoratifs, elle avait tout de suite montré des dons prometteurs. Moins d'un an plus tard, on lui avait confié la conception artistique du budget publicité d'un gros client, l'entreprise vinicole Vinhos Milaveira Limitada. Le P.-D.G. de la succursale londonienne, qui n'était autre que le fils du propriétaire à Madère, avait été si favorablement impressionné qu'il avait demandé à connaître Romina.

Romina n'oublierait jamais cette rencontre, ni l'attirance instantanée, magnétique, qu'elle avait ressentie pour l'homme assis en face d'elle dans le bureau luxueux de John Barkwith, surplombant les arbres de Hyde Park.

Miguel da Milaveira était très grand, mince, avec des cheveux noirs et bouclés qui lui descendaient légèrement sur la nuque. Il portait son complet gris clair, impeccablement coupé, avec une élégance désinvolte, comme s'il voulait laisser entendre qu'il faisait beaucoup d'honneur à son tailleur. Cependant, derrière la façade décontractée, on devinait une force d'acier, une puissance retenue de panthère. La suprême arrogance de ses traits trahissait une assurance à toute épreuve, et Romina comprit d'instinct qu'on devait être à la hauteur de ses exigences, sous peine d'encourir son mépris. Il avait un regard profond, d'un noir d'ébène, un nez très droit et une mâchoire nettement dessinée, presque agressive. La bouche était dure et cynique. Mais, tandis qu'il jetait sur Romina un long regard approbateur, ses lèvres s'entrouvrirent sur un sourire qui révélait tout un monde de sensualité.

– Tiens! fit-il négligemment. Une jeune femme qui a autant de beauté que de talent. Quelle formidable combinaison!

La voix était chaude et profonde, l'anglais sans défaut, avec une pointe d'accent qui ne faisait qu'ajouter à la fascination exercée par le personnage.

— Romina est l'étoile qui monte de notre service artistique, observa John affablement. Nous sommes très fiers d'elle.

— Comme vous avez raison! dit Miguel sans quitter Romina des yeux. Mademoiselle Gilmour, vous déjeunez avec moi aujourd'hui.

C'était un ordre, pas une invitation.

Le plus invraisemblable, c'est que Miguel avait épousé Romina six semaines après cette première rencontre, six semaines qu'elle avait vues passer comme dans un rêve. Elle n'arrivait pas à croire que c'était bien *elle* que Miguel avait choisie entre toutes les femmes.

Sa demande en mariage l'avait prise tout à fait au dépourvu. Il l'avait emmenée danser dans une boîte de nuit intime, aux lumières tamisées. Dans un accord parfait, ils évoluaient sur la piste, aux accents d'une musique romantique.

— Marions-nous, très chère Romina, lui murmura-t-il soudain à l'oreille. Maintenant, tout de suite. Aussi vite que la loi chez vous le permet.

— Nous marier? s'écria-t-elle, incrédule.

— Oui! Soyez à moi. Je ne peux pas attendre.

Plus tard, abandonnant la voiture près des berges de la Tamise, ils avaient marché le long du fleuve scintillant de toutes les lumières de la ville.

— Tout s'est passé si vite, murmura Romina d'une voix émue. J'ai du mal à y croire. C'est sérieux? Vous voulez vraiment m'épouser, Miguel?

Il s'arrêta et l'enlaça doucement. Un agent de police qui effectuait sa ronde leur sourit avant de se détourner discrètement.

— Je n'ai jamais été aussi sérieux, mon amour. Vous êtes la femme la plus belle, la plus désirable que j'aie jamais rencontrée. Je brûle d'impatience. Je veux que vous soyez à moi, rien qu'à moi. Avec tous ces mâles autour de vous prêts à se jeter sur leur proie, je ne dormirai pas avant de vous avoir passé la bague au doigt.

Serrée contre lui, Romina était de plus en plus troublée par la montée de sa passion. Mais un baiser avait tempéré d'une merveilleuse tendresse cette ardeur virile. Ils étaient restés longtemps enlacés sur le trottoir désert. Le cœur de Romina éclatait de bonheur; dès cet instant, soulevée par une vague irrésistible, elle avait ressenti des émotions jusqu'alors inconnues. Ce ne fut que beaucoup plus tard – trop tard – qu'elle se souvint que Miguel n'avait pas prononcé une seule fois la formule capitale, magique : *Je t'aime*.

En raison des circonstances, la cérémonie du mariage avait été discrète. Romina n'avait invité que quelques responsables d'Astral, deux ou trois amies, ainsi que son beau-père et la femme de ce dernier, venus du Yorkshire. La présence de Charles Bradley l'avait particulièrement touchée. Il s'était toujours montré un merveilleux père pour elle – son père véritable n'ayant jamais été qu'une ombre dans sa mémoire. Et, quand la mère de Romina était morte d'une crise cardiaque, six ans auparavant, c'était Charles qui l'avait consolée. Elle était alors âgée de dix-sept ans. Il l'avait assurée qu'elle trouverait toujours un foyer chez lui, et elle le savait sincère. Mais Charles s'était remarié, et Romina n'avait pas voulu s'imposer à sa nouvelle femme, Susan. Elle écrivait souvent mais ne leur rendait que deux brèves visites chaque année.

De son côté, Miguel avait invité quelques relations d'affaires. Son père, un veuf déjà âgé, avait été retenu à Madère par une crise de rhumatismes.

C'est pendant leur lune de miel que Romina éprouva ses premiers doutes quant à ce brusque mariage avec un homme qu'elle connaissait à peine. Désireux de présenter sa femme à son père sans délai, Miguel avait hâté la cérémonie et ils s'étaient envolés le jour même pour l'île enchanteresse. La Quinta da Boa Vista était une magnifique demeure de style colonial, entourée de jardins en terrasses qui dominaient la lumineuse baie de Funchal. Romina avait été accueillie par une armée de serviteurs – femmes de chambre en robe noire, bonnet et tablier blancs, faisant la révérence, et valets en gilet rayé qui s'inclinaient devant elle.

Le père de Miguel, le senhor dom Eduardo da Milaveira, s'avança devant la colonnade de la véranda pour saluer sa belle-fille. Courbé sur sa canne, il était quand même impressionnant de dignité. Après avoir embrassé Romina, il lui adressa quelques mots de bienvenue qui ne manquèrent pas de l'intriguer.

– Ma chère enfant, quel jour béni! Mon fils enfin marié! Je commençais à croire qu'il appréciait trop les plaisirs insouciants du célibat pour choisir une femme digne de partager sa vie.

La chambre qu'elle devait occuper avec Miguel était décorée d'un superbe tissu vert pâle et or, les meubles anciens brillaient comme des miroirs à force d'avoir été polis. S'approchant d'une des fenêtres, Romina admira la vue splendide : la ville descendait en terrasses jusqu'à l'Océan tout bleu, sillonné de voiliers. D'une voix dont le léger tremblement trahissait à peine la nervosité, elle dit en riant à son mari :

– Si j'en crois votre père, Miguel, vous ne vous êtes pas ennuyé avant notre mariage!

– Ça, alors! répliqua-t-il sèchement. Vous ne pensiez tout de même pas que j'étais resté chaste jusqu'à trente-deux ans!

– Non, bien sûr. Mais...

– Il n'y a pas de mais, coupa-t-il, soudain agressif. D'ailleurs, ça suffit.

– D'accord, rétorqua Romina en haussant les épaules.

Puis elle ajouta d'un air espiègle :

– Après tout, comme on dit chez nous, ce qui est bon pour le jars l'est aussi pour l'oie.

– Expliquez-moi ça! ordonna-t-il, menaçant.

– Eh bien, ce qui vaut pour le sexe fort vaut aussi pour l'autre.

Tandis qu'elle admirait le panorama, Miguel avait posé la main sur son épaule. Soudain, ses doigts s'enfoncèrent dans sa chair et il lui fit faire volte-face. A la stupéfaction de Romina, ses yeux noirs étincelaient de fureur.

– Vous voulez dire qu'il y a eu d'autres hommes dans votre vie?

Sans paraître souffrir sous la poigne cruelle, elle afficha un ton enjoué :

– J'ai vingt-trois ans, vous avez oublié?

– Je ne vois pas le rapport! marmonna-t-il en serrant les dents. Toute femme respectable et digne de ce nom doit être fidèle aux vertus traditionnelles.

Romina mourait d'envie de l'assurer qu'elle n'avait jamais agi autrement – qu'elle était fière d'avoir attendu le mariage pour se donner à l'homme qu'elle aimait. Une ligne de conduite pas toujours facile à observer... Ses amies s'étaient moquées de sa pruderie; et plus d'un homme avait très mal pris son refus entêté de faire l'amour.

Mais son esprit d'indépendance l'empêcha de capituler si facilement devant l'attitude despotique de son mari. « De quel droit exige-t-il que je me soumette à un code moral différent du sien? »

Elle laissa échapper un petit rire.

– Et si toutes vos petites amies avaient été aussi fidèles aux « vertus traditionnelles »?

Miguel jura en portugais. Il la regarda avec fureur un bon moment. Puis, brusquement, il l'attira dans ses bras et l'écrasa contre lui. Ce baiser ne ressemblait à aucun des précédents – la passion avait cédé le pas à une cruauté égoïste. Suffoquant de peur, Romina essaya de détourner le visage. Mais les lèvres de Miguel restaient collées aux siennes, forçant douloureusement l'intimité de sa bouche.

Et c'est là, comme le soleil couchant incendiait le ciel et que le bruit des allées et venues des serviteurs préparant le dîner montait faiblement jusqu'à eux, que le mariage fut consommé. Consommé dans la haine, se dit Romina — non dans l'amour et la tendresse. Et cependant, elle vit avec stupeur son corps répondre au désir de Miguel, se plier sous lui avec une frénésie croissante et sauvage, et elle éprouva jusqu'au délire la fiévreuse satisfaction de ses sens.

Elle resta encore un moment accrochée à lui, cherchant désespérément à être rassurée. « Si seulement Miguel me disait qu'il m'aime, tout redeviendrait merveilleux. » Mais il se détourna d'elle, l'air presque mécontent. En se levant, il murmura :

— Tu devrais t'habiller. Nous allons être en retard pour le dîner.

Miguel la prit de nouveau dans la nuit même, puis encore et encore au cours des jours et des nuits qui suivirent. « Mais c'est comme s'il me haïssait, songeait amèrement Romina, à cause du désir que je fais naître en lui. Comme s'il détestait toutes les femmes pour cette dépendance à laquelle leurs corps savent soumettre les hommes. Il doit me mépriser parce qu'il éveille en moi un désir aussi intense que le sien. »

Chassant ces souvenirs, Romina revint à ses projets d'affiche pour les parfums Halcyon. Elle n'était pas fâchée d'avoir à les rendre avant de partir pour Madère. Comme ça, elle n'aurait pas le temps de déjeuner avec Desmond.

— Je ferai monter un sandwich, lui expliqua-t-elle.

— Et ce soir, tu seras libre? demanda Desmond d'un air morose.

— Ce soir, je... j'aurai des tas de choses à faire.

— Il ne faut pas des heures pour boucler une valise! protesta-t-il. Et tu ne pars que pour quelques jours!

Romina décida d'avouer la vérité.

— Miguel m'a demandé de passer à notre ancien

appartement, dit-elle avec une feinte insouciance. Il veut que je lui apporte un de ses costumes.

– Quel toupet! s'exclama Desmond.

– Je ne peux pas lui refuser ça, enchaîna-t-elle tout aussi légèrement. Après tout, officiellement, c'est encore notre appartement. Même si j'ai choisi de ne plus y habiter.

Pour rien au monde, elle n'aurait avoué à Desmond que la seule idée de retourner sur les lieux de sa brève union avec Miguel la remplissait d'appréhension. Desmond haussa maladroitement les épaules, engoncé dans son complet trop classique qui, avec la chemise crème et la cravate bleue et or de son club, lui donnait l'air de porter un uniforme.

– D'accord, chérie. Tu as les clés?

– Oui. Je les ai mises dans mon sac, ce matin.

– Parfait! En sortant du bureau, nous irons ensemble chercher le costume. Puis je te ramènerai chez toi, tu feras ta valise, et nous aurons tout le reste de la soirée à nous. On pourrait peut-être essayer le nouveau restaurant italien...

Elle lui lança un regard effaré.

– Tu ne peux pas m'accompagner à l'appartement, Desmond!

– Et pourquoi donc?

Oui, pourquoi? Elle savait que Desmond n'attendait que l'occasion de visiter le luxueux duplex. Il lui avait souvent posé des questions à ce sujet, espérant qu'elle finirait bien par l'y emmener. Mais elle avait toujours réussi à l'éviter, redoutant l'émotion qu'elle risquait d'éprouver en retrouvant ce décor familier.

Romina n'avait pas pénétré dans l'appartement depuis deux ans. Elle n'y était alors venue que pour rassembler ses effets personnels, après avoir décidé de quitter définitivement Miguel. Trois semaines plus tôt, ils avaient pris tous deux l'avion pour Madère en apprenant la mort soudaine du père de

Miguel. Le lendemain des funérailles, son mari lui avait brusquement annoncé qu'il n'était plus question de rentrer en Angleterre.

– Mais... Et moi? Que fais-tu de ma carrière? protesta Romina, à la fois blessée et piquée au vif parce qu'il n'avait même pas pris la peine de la consulter.

Certes, elle n'avait pas été prise de court. Miguel, unique héritier des Vinhos Milaveira, devait juger sa présence maintenant nécessaire au siège de l'entreprise. Mais elle était consternée d'être placée devant le fait accompli.

– Ta carrière, répliqua-t-il froidement, c'est d'être ma femme. Tant que nous étions à Londres, j'ai bien voulu que tu continues à travailler. A présent, il n'en est plus question.

– Mais j'ai un contrat avec l'agence Astral!

– Les contrats, ma chère Romina, peuvent toujours s'annuler. Je vais appeler John Barkwith.

– Je suis encore capable de téléphoner moi-même, articula-t-elle.

– Comme tu voudras, conclut-il avec indifférence.

Pour Romina, cette histoire de travail n'était que secondaire; mais elle allait servir de catalyseur au vrai problème qui empoisonnait leurs relations. Il était temps de crever l'abcès, d'amener son époux à modifier son comportement de seigneur et maître.

– Si tu t'imagines que je vais me laisser manipuler comme un objet, tu te trompes lourdement, Miguel. Tu crois sans doute que je t'appartiens corps et âme?

– En voudrais-tu la preuve, ma chère femme? fit-il ironiquement.

Romina recula, effrayée, regrettant désespérément de n'avoir pas choisi un terrain moins dangereux que leur chambre à coucher pour cette confrontation. Elle savait d'expérience que le ton moqueur de Miguel masquait la volonté cruelle de la réduire totalement à sa merci.

– Miguel, si on parlait enfin comme deux êtres humains?

Ignorant sa requête, il s'approcha d'elle avec une lenteur délibérée et l'emprisonna entre ses bras puissants. Il pressa ses lèvres sur sa bouche, imprimant ainsi brutalement la marque de son autorité sur elle. Une fois de plus, Romina perdit pied dans un abîme sans fond. Elle se laissa emporter vers le lit sans résister et Miguel s'étendit sur elle, l'écrasant de tout son poids.

– Chaque fois que tu auras besoin d'une autre preuve, *querida*, je serai trop heureux de m'exécuter.

Au fil des jours, tous tristement semblables, Romina finit par se persuader qu'elle ne supporterait pas longtemps l'abject sentiment de soumission qu'elle éprouvait devant l'attitude dictatoriale de son mari. Il n'y avait entre eux ni amour véritable ni respect. Et encore moins de confiance. Aux yeux de Miguel, elle était seulement sa propriété, son bétail. Impossible d'échanger un mot aimable avec un autre homme sans provoquer une crise de jalousie. Après un long et douloureux examen, Romina prit sa décision. Elle informa son mari qu'elle le quittait et rentrait en Angleterre.

Comme prévu, Miguel explosa de fureur. Ils se lancèrent des mots violents, amers. Au point culminant de leur querelle, il se jeta sur Romina et la posséda avec une sauvagerie dépassant tout ce qu'elle avait connu jusqu'alors. Mais, tandis que sa chair, dans sa faiblesse, répondait comme toujours à son désir, son esprit demeura inébranlable. Quand, enfin, Miguel s'écarta d'elle, elle murmura en suffoquant :

– Je te hais, Miguel. Je te hais.

Il se leva d'un bond, le regard étincelant.

– Eh bien, va-t-en, petite sorcière! Mais tu reviendras... tôt ou tard, tu reviendras!

– Jamais! répliqua-t-elle avec une conviction absolue.

Cette conviction allait être bientôt ébranlée, au long des interminables nuits blanches passées dans le modeste logement qu'elle s'était trouvé à Londres. Elle avait choisi le quartier de Bayswater, diamétralement opposé à celui de leur appartement, plein de douloureux souvenirs. Elle n'aurait jamais cru possible de regretter à ce point la présence de Miguel. Mais elle avait résisté à l'envie de capituler et de courir se jeter dans ses bras, ce qui n'aurait fait qu'augmenter son affliction. Elle imaginait le triomphe de Miguel, son arrogance décuplée, et se voyait déjà plus triste et misérable que jamais.

Et si Miguel daignait faire le premier pas? Au début de leur séparation, elle l'avait espéré. Tôt ou tard, ses affaires le ramèneraient à Londres, et il chercherait à la revoir. Alors, chacun ayant eu le loisir de réfléchir de son côté, une nouvelle vie pourrait commencer. Miguel l'aimerait autant qu'elle l'aimait, au lieu de se contenter de désirer son corps.

Mais Miguel ne revint pas en Angleterre. Apparemment, son adjoint était tout à fait capable de diriger le bureau de St. James Street. Romina finit par abandonner tout espoir de réconciliation. Comme elle reportait son énergie sur son travail, elle constata avec désolation que son talent s'étiolait. Il semblait manquer à tout ce qu'elle entreprenait l'étincelle, le petit quelque chose qui l'avait jusqu'alors située au-dessus du commun. Lorsque Desmond Bellamy, chef des relations publiques de l'agence Astral, avait commencé à s'intéresser à elle, Romina y avait été vivement sensible. Après le comportement violent et autoritaire de Miguel, la cour discrète de Desmond offrait un contraste plaisant.

A la fin de l'après-midi, Romina remit ses trois

projets d'affiche au responsable de la publicité d'Halcyon. Ils seraient certainement acceptés sans problème, même si leur dessin était d'un niveau à peine plus qu'honnête. Mais ils ne lui vaudraient pas, songea-t-elle à regret, les grands compliments qu'elle avait un jour reçus de Miguel pour son travail sur la campagne Vinhos Milaveira.

Tandis que Desmond la conduisait à l'appartement à travers les rues embouteillées du West End, une averse soudaine gâcha cette belle soirée de juin. Desmond gara enfin la voiture devant un gigantesque building moderne.

L'aspect cossu du duplex, situé au dernier étage, impressionna Desmond. Il contempla, bouche bée, le vaste salon aménagé par un décorateur en renom. De grands rideaux de velours émeraude masquaient une immense baie vitrée; le sol, avec son océan de moquette du même ton, faisait ressortir le cuir blanc des canapés et des fauteuils bas. Bien qu'il fût inoccupé, l'appartement était maintenu dans un état de propreté immaculée.

— Alors, c'est comme ça qu'on vit chez les riches! murmura-t-il avec envie. Mais dis-moi, Romina, comment se fait-il que ton mari accepte tout d'un coup d'envisager le divorce, après s'être montré si têtu?

— Il veut peut-être se remarier, dit-elle en haussant les épaules.

Cette idée, qui lui était venue plusieurs fois aujourd'hui, lui causait une sensation pénible.

— Alors, tant mieux!

Desmond contempla le vaste panorama, de la cathédrale Saint-Paul et de la tour de Londres jusqu'au Parlement et à l'abbaye de Westminster. Romina connaissait par cœur cette vue dont la beauté avait pour elle quelque chose de doux-amer. Combien de fois, après une de ses violentes querelles avec Miguel, ne s'était-elle pas détournée vers la fenêtre pour cacher à son mari les pleurs qu'il avait provoqués!

Laissant Desmond dans le salon, elle descendit les trois marches qui menaient à la chambre à coucher. Là, la présence de Miguel était presque insupportable. Sa gorge se serra, comme chaque fois qu'il l'attirait dans ses bras. Elle imagina presque physiquement le contact de son corps musclé, le baiser cruel de sa bouche qui semblait ne jamais pouvoir se rassasier d'amour. D'amour? Le mot ne convenait guère à ces crises fiévreuses au cours desquelles il l'avait brutalement possédée – profitant chaque fois de la sournoise faiblesse de son corps.

Romina frissonna. Elle ferma les yeux pour ne pas voir le grand lit légèrement surélevé, témoin de tant de scènes de passion et d'abandon intime.

– Romina, je peux t'aider?

Elle ne se retourna pas, redoutant que son visage trahisse ses pensées.

– C'est inutile, bégaya-t-elle. J'en ai pour une minute.

Elle sentit peser sur elle le regard de Desmond, resté sur le seuil de la chambre, pendant qu'elle sortait d'un tiroir la petite valise en peau de Miguel, ornée de ses initiales en or. Dans la penderie, dormaient depuis deux ans une demi-douzaine de complets. Elle prit celui que Miguel demandait et se mit à le plier sur le lit, ce lit détesté.

– Encore un costume qui vient tout droit d'un des meilleurs tailleurs de Saville Row, observa Desmond d'un ton ironique qui dissimulait mal une pointe d'envie. Ça va chercher combien, à ton avis?

– Je n'en sais vraiment rien.

« Mon Dieu, mais c'est le costume que Miguel portait le jour de notre première rencontre. Pourquoi tient-il justement à celui-là? »

– Quand nous serons mariés, reprit pensivement Desmond, il faudra te passer de tout ce luxe.

– Cela m'est égal, dit Romina en souriant. Je n'ai pas épousé Miguel pour son argent. De toute façon,

Desmond, nous serons à l'aise, à côté de tant de jeunes gens qui fondent un foyer. Tu es très bien payé chez Astral, et, jusqu'à nouvel ordre, nous pourrons également compter sur mon salaire.

– C'est vrai. Et je songe même à améliorer notre situation. J'ai ma petite idée là-dessus... Qu'est-ce que tu dirais si nous passions notre lune de miel au Japon, mon amour?

Desmond la prit doucement par les épaules et lui effleura la tempe des lèvres.

– Au Japon?

– Eh bien?

– Ce serait formidable. Mais, Desmond, tu ne trouves pas que le Japon, c'est un peu loin? On ferait mieux de dépenser notre argent à...

Il l'interrompit, ce qui n'était guère dans ses habitudes :

– Un de mes amis, journaliste à Tokyo, m'a dit qu'il y a plein de coups à monter là-bas quand on est dans la publicité. On pourrait en faire profiter l'agence. Mon copain peut m'indiquer qui je dois rencontrer.

– Mais je croyais que c'était notre *lune de miel*! s'exclama Romina, déçue.

– Pourquoi ne pas mêler le travail et le plaisir? L'occasion ne se représentera pas de sitôt.

Tout cela n'était pas très romantique, mais à quoi bon le lui reprocher? Desmond ne pouvait pas comprendre. Aussi se contenta-t-elle de dire en riant :

– Tu ne crois pas que tu vas un peu vite, Desmond? Je n'ai même pas encore divorcé.

– Justement. Il faudrait demander à ton sacré mari de secouer un peu les avocats. Je veux saisir cette chance.

Si seulement, regrettait Romina, Desmond disait plutôt : « Je te veux à tout prix, toute à moi, j'en ai assez d'attendre. » Pour se rassurer, elle demanda dans un murmure :

– Est-ce que tu m'aimes, Desmond?

– Bien sûr. Tu le sais, chérie.

Romina retrouva le sourire. Elle se blottit dans ses bras et lui tendit ses lèvres.

Le baiser de Desmond était léger, affectueux, le contraire du baiser brutal de Miguel. Décidément, se dit Romina, ce mariage sera le baume idéal pour calmer les affres d'une passion dénuée d'amour. « Une pluie bienfaisante sur un désert brûlé par le soleil. »

Romina quitta l'aéroport d'Heathrow par une matinée de vents violents et de gros nuages, se demandant avec angoisse ce qui l'attendait.

« Il y a peut-être une autre femme... Une nouvelle femme dans la vie de Miguel. J'aurais peut-être dû accepter que Desmond m'accompagne, au moins pour me soutenir le moral. » Mais l'idée d'une confrontation entre les deux hommes la mettait mal à l'aise, elle savait d'avance que Desmond n'en sortirait pas à son avantage.

Non, il valait mieux rencontrer son mari seule à seul! Elle saurait tenir tête à Miguel, refuser de se laisser malmener – il n'avait plus aucun pouvoir sur elle. Quelque part devant elle, un passager éclata de rire, comme s'il devinait ses pensées. Elle frissonna.

L'avion piqua du nez, ses puissants moteurs changèrent de régime. Le pilote se posa en virtuose sur la piste très courte de l'aéroport de Santa Catarina, littéralement creusé à même la roche volcanique de l'île.

Romina respira l'air doux et embaumé annonciateur des tropiques, les senteurs confondues des centaines de variétés de fleurs. Il lui faudrait une demi-heure de taxi pour atteindre l'hôtel, à Funchal. Elle aurait le temps d'avaler une bonne tasse de thé dans sa chambre avant de téléphoner à Miguel pour convenir d'un rendez-vous.

Mais rien ne se passa comme elle l'avait prévu. Elle avait à peine retiré du tapis roulant ses deux valises – dont l'une contenait le complet de Miguel – que deux mains s'en emparèrent avec autorité.

Elle se retourna pour protester, et resta figée. Oh! non, c'était trop cruel, elle n'était pas prête à affronter Miguel. Elle aurait eu besoin d'un peu de temps pour se composer une attitude, se forger une cuirasse afin de résister à cette attirance magique qui, malgré tout ce qui les séparait, la faisait trembler de tout son corps.

– Hello, Romina, s'écria-t-il, une lueur de défi dans ses yeux noirs. Enfin, te voilà! Je t'avais bien dit que tu reviendrais, tu te souviens?

2

Déjà, la haute silhouette pleine d'assurance s'élançait à grandes enjambées. Ce jour-là Miguel portait un pantalon de couleur fauve, bien ajusté sur les hanches, avec une chemisette bleu électrique. Bon gré mal gré, Romina essaya de ne pas perdre sa trace, tandis qu'il fendait la foule des touristes. Elle le rattrapa dans l'allée où il avait garé sa voiture. C'était une Mercedes blanche toute neuve. Il jeta les valises dans le coffre.

– Comment as-tu appris que j'étais dans cet avion? Le télégramme disait seulement que j'arrivais aujourd'hui.

Il la regarda d'un air moqueur.

– Nous ne sommes pas à Kennedy Airport, *cara*. Il n'y a pas un avion toutes les deux minutes. De toute façon, j'avais demandé à mon adjoint à Londres de vérifier les listes de passagers.

– Toujours efficace! déclara-t-elle.

– Je devrai sans doute ajouter l'efficacité à la longue liste de tes griefs contre moi?

Elle fulmina intérieurement. Si seulement il lui avait laissé le temps de préparer cette première entrevue, elle aurait su faire face à ses sarcasmes. Elle dut se contenter d'une bien piètre réplique.

– Je t'en prie, Miguel, tâchons de nous conduire en gens civilisés. Tu sais pourquoi je viens...

– Enfin, pourquoi, *apparemment*, tu viens.

– Bien entendu, tu n'y crois pas?

– Je devrais?

Il referma le coffre avec un claquement sec, s'approcha d'elle et étudia son visage avec un intérêt flegmatique qui la mit mal à l'aise.

– Tu es pâle, *querida*. Toujours très belle, naturellement, mais tu as l'air à plat. Trop de nuits ardentes avec... comment s'appelle-t-il déjà? Desmond?

– Oh! Pour l'amour du ciel! protesta-t-elle en rougissant. Heu... si tu voulais me conduire à l'hôtel, Miguel... ce serait gentil. J'ai réservé une chambre au Majestic.

Il prit Romina par le coude pour l'aider à s'asseoir. Le contact de ses doigts était comme du feu.

– Quand nous serons à la maison, je téléphonerai au Majestic pour annuler la réservation, annonça-t-il en démarrant brusquement.

– A la maison? Quelle maison?

– La Quinta da Boa Vista, bien sûr. Je n'ai pas déménagé pendant ton absence.

– Si tu t'imagines que je vais m'installer à la *quinta* avec toi, Miguel, tu te trompes drôlement, fit Romina, furieuse.

Ils venaient de traverser le village de Santa Cruz et grimpaient le long d'une tortueuse route côtière. Tout en négociant un virage en épingle à cheveux, il demanda sèchement :

– La vraie place d'une femme est sous le toit de son mari, tu ne trouves pas?

– Mais je ne suis plus ta femme.

– Alors, qu'est-ce que tu fais là, ma très chère? C'est bien parce que tu es *encore* ma femme que tu es revenue!

– Je ne suis plus ta femme que du point de vue de la loi.

– Mais, sur tous les autres plans, tu appartiens à Desmond? Je me trompe?

Romina s'apprêtait à nier énergiquement, mais elle se reprit. Si Miguel choisissait de penser qu'elle

24

et Desmond étaient amants, c'était peut-être mieux, après tout.

– Mes rapports avec Desmond ne te regardent absolument pas, observa-t-elle froidement.

– J'en serai seul juge, répliqua-t-il d'un ton lourd de menace.

Ils roulèrent un instant en silence. En dépit de son appréhension, Romina était touchée par la beauté du paysage, qui lui semblait encore plus fascinant que dans son souvenir. A chaque détour de la route, elle découvrait une falaise abrupte qui surplombait vertigineusement l'Océan. Les flots étincelaient au soleil de juin.

– Alors, c'est d'accord? Tu me déposes à l'hôtel Majestic?

– Navré de te décevoir, *cara*. J'ai dit que je t'emmenais à la maison.

– Mais... je ne veux pas!

– Et pourquoi, ma chère femme? fit-il en grimaçant un sourire cynique. Aurais-tu peur de tes réactions, une fois sous le même toit que moi?

– Absurde! Je... je refuse de m'installer à la *quinta*, Miguel, parce que... eh bien, je l'ai promis à Desmond!

Il éclata d'un rire sans humour que Romina connaissait bien; ce n'était là qu'une des expressions de sa cruelle jalousie.

– Ainsi, il n'a pas confiance en toi! En fin de compte, ce Desmond n'est pas si bête que je croyais.

– Mais si, Desmond a confiance en moi! Ce n'est pas comme toi!

– Comme c'est touchant, ricana-t-il. Je me vois donc contraint de revenir à ma première impression sur l'intelligence de ton amant.

Une fois de plus, Miguel avait harponné sa proie au point sensible. Elle eut envie de le gifler, mais il conduisait sur une route semée d'embûches et, de toute façon, cela ne servirait à rien. Il saurait encore une fois saisir sa main au vol, exultant de la sentir trembler entre ses doigts d'acier.

Oui, Desmond s'opposait à ce qu'elle dorme sous le même toit que son mari, il devait sans doute penser que Miguel pouvait être assez vil pour lui faire des avances. Si cela se produisait, Desmond ne comprendrait jamais quelle lutte insensée il lui faudrait livrer contre elle-même pour résister à l'homme qui, légalement, était encore son époux.

Et pourtant, cette lutte, elle était persuadée de la gagner haut la main en quittant Londres. Ces deux dernières années, avait grandi en elle la conviction qu'elle n'était plus l'esclave de Miguel. Il lui arrivait de passer plusieurs jours sans penser à lui... à moins qu'un événement ou une remarque inopinée ne fasse resurgir son image. Elle ressentait alors aussitôt cette bouffée de désir qu'aucun autre homme n'avait su éveiller en elle. Pas même Desmond...

La différence entre les sentiments qu'elle éprouvait pour les deux hommes de sa vie était la même que celle qui pouvait exister entre une ignoble et primitive luxure et un amour véritable et constant. Mais la présence de Miguel, assis tout près d'elle, effaçait peu à peu cette distinction dans son esprit. Certes, elle ne demandait pas à Desmond de ressembler à Miguel. Mais si seulement il avait possédé un peu de sa troublante sensualité, de son magnétisme viril, son cœur n'aurait pas à souffrir un tel bouleversement de tous ses sentiments.

Une note d'hystérie perça dans sa voix.

– Je t'en prie, Miguel, ne revenons plus là-dessus. Je logerai au Majestic. A moins que tu ne m'emprisonnes à la *quinta*. Mais je voudrais bien voir ça!

– Tiens, tiens, voilà une idée bien tentante! Mais si tu dois vraiment en faire une névrose, allons, je te permets de coucher au Majestic – pour cette nuit.

– Aussi longtemps que je resterai à Madère, corrigea-t-elle, soulagée. C'est-à-dire le moins de temps possible.

Il serra les dents.

– Ça, ma chère Romina, ça reste à voir.

Dix minutes plus tard, ils atteignirent Funchal, capitale et seule ville importante de l'île. Dans l'avenue menant à la cathédrale, Romina retint sa respiration, ravie. Jamais elle n'avait vu les jacarandas ployer sous une telle profusion de fleurs, dont le mauve pâle offrait un contraste délicat avec le pourpre des bougainvillées qui dégringolaient par-dessus les vieux murs de pierre. Ils atteignirent enfin le Majestic. La voiture remonta l'allée en demi-cercle et s'arrêta devant les grandes portes de verre. Un chasseur se précipita pour prendre les deux valises.

– Non, la plus petite reste dans le coffre. Tu n'as qu'à la garder, Miguel, elle contient le costume que tu m'as demandé.

– Merci! Mais, au fait, comment as-tu trouvé notre ancien nid d'amour? ajouta-t-il ironiquement.

« Ah! Miguel, tu voudrais bien savoir s'il m'a rappelé des souvenirs... Mais alors, c'est pour ça que tu m'as envoyée chercher ce complet dont tu ne parais guère avoir besoin! »

– A vrai dire, enchaîna-t-elle, tout haut cette fois, sur un ton désinvolte, j'ai à peine eu le temps d'y jeter un coup d'œil. Je suis juste entrée et sortie.

Elle vit qu'il n'en croyait rien; mais l'esprit sarcastique de Miguel se tournait déjà vers la valise de dimensions modestes que le chasseur emportait.

– Pour une femme, tu ne t'encombres pas de bagages!

– C'est que je ne compte rester qu'un jour ou deux.

– Ça m'étonnerait, Romina.

– Je t'assure, je ne peux pas rester plus longtemps, insista-t-elle nerveusement. C'est impossible, Miguel.

– Impossible n'est pas anglais, ma chère femme. Ainsi, te voilà de retour à Madère, et pourtant, tu avais juré que tu n'y remettrais jamais les pieds.

– Je ne suis revenue que pour discuter de notre divorce.

– Ah, oui... ce fameux divorce!

Miguel s'adressa à l'employé de la réception en portugais et Romina ne put suivre la conversation. Après avoir consulté le registre, ce fut à Miguel que l'homme tendit la clé. Puis il se tourna vers Romina et lui demanda son passeport avec déférence. Elle ne s'était pas encore libérée des formalités de routine que Miguel l'attendait déjà devant la porte ouverte de l'ascenseur.

– Eh bien, merci de m'avoir accompagnée, Miguel, dit-elle en tendant la main vers la clé. Je t'appelle pour qu'on prenne rendez-vous, pour... pour parler de ce qui m'amène ici.

Mais Miguel, au lieu de lui donner la clé, l'entraîna dans l'ascenseur.

– Je monte avec toi voir comment tu es installée.

Enfermée avec lui dans cet espace clos, Romina perçut de nouveau cet effluve musqué qui n'appartenait qu'à Miguel. Elle ferma les yeux, évoquant le temps où elle avait appris à identifier de tous ses sens cette aura indéfinissable, typiquement masculine. A l'époque, elle pouvait deviner sa présence, sans le voir ni l'entendre – même dans une pièce surpeuplée.

Elle sursauta violemment lorsqu'il lui toucha le bras.

– Pas la peine de sauter au plafond! Je ne vais pas te violer. Nous sommes arrivés, c'est tout.

– Oh... Heu, oui!

Il ouvrit une porte, au bout d'un long couloir, et s'effaça pour la laisser passer. La chambre avait de grandes fenêtres ouvrant sur un balcon. Miguel remarqua immédiatement que le lit était pour une seule personne.

– Comment se fait-il que Desmond ne soit pas venu?

La question était subtile, comme s'il voulait jeter

un doute sur l'authenticité de l'amour de Desmond.

— En fait, il comptait bien m'accompagner, répliqua-t-elle, sur la défensive.

— Mais tu l'as persuadé de n'en rien faire.

— Je n'ai pas eu besoin de le *persuader*.

— Alors, qu'est-ce qui s'est passé?

— Nous sommes tout de suite tombés d'accord sur le fait que sa présence était inutile.

— Tout à fait inutile, en effet.

Miguel ouvrit les fenêtres à la brise d'été, puis il enveloppa Romina d'un regard approbateur.

— Nous voilà de nouveau réunis dans une même chambre, après tout ce temps, *cara*.

— Tu ne devrais pas être là, déclara Romina, mal à l'aise.

— Mais pourquoi, pour l'amour du ciel? Ta réputation ne risque rien. Je suis toujours ton mari.

— Seulement sur un morceau de papier.

Une lueur de colère s'alluma dans les yeux de Miguel.

— Et tu t'imagines qu'il suffirait de déchirer ce morceau de papier pour que notre mariage n'ait jamais existé? Tu n'es pas stupide à ce point, Romina. Quand on a partagé quelque chose, cela ne se raye pas d'un trait de plume.

— C'est bien dommage! s'écria-t-elle avec ardeur.

— L'ennui, c'est que nous nous connaissons trop bien, pas vrai?

Il se mit à tourner lentement autour d'elle, comme pour mieux l'étudier. Romina se sentit rougir.

— Avec ton pauvre petit tailleur, n'importe quel homme te prendrait pour une miss anglaise plutôt collet monté. Mais mes yeux à moi reconnaissent la vraie femme sous son camouflage. Je vois un corps follement séduisant et désirable, un corps qui ne demande qu'à s'éveiller sous la caresse...

— Assez! cria-t-elle, mortifiée. Je... J'ai seulement essayé de me conformer au modèle de femme que tu m'imposais. J'étais mariée, je me suis donc soumise à tes caprices parce que...

– Soumise! la coupa-t-il. Tu trouves que c'est le mot juste?

– Alors, quoi d'autre? bégaya-t-elle, rougissant de nouveau.

– Si je me souviens bien, *querida*, malgré la haine qui obscurcissait souvent tes jolis yeux bleus, tu ne renonçais pas pour autant à tes désirs physiques. Tu as toujours réagi de la même façon dès que je te touchais, chère Romina... Comme une femme profondément sensuelle.

Elle fut prise soudain d'une bouffée de haine. Comment pouvait-il, sans la moindre considération pour ses sentiments, déchirer le voile de décence qui abritait leur intimité? Miguel prenait visiblement un plaisir démoniaque à la tourmenter; aussi fit-elle appel à toute son énergie pour lui cacher son désarroi.

– Ta façon d'interpréter les faits est fausse, archi-fausse, Miguel. Mais arrêtons là! Le passé est révolu, c'est tout ce qui compte à présent. Je suis vaccinée contre toi, et...

Miguel éclata d'un rire sauvage et, prestement, referma les bras sur elle avant qu'elle puisse s'échapper, l'attirant contre sa poitrine musclée. Elle tenta de se dégager, mais elle avait beau lutter de toutes ses forces, il la maintenait prisonnière avec une aisance méprisante, épousant ses formes de tout son corps viril. Elle perçut sa chaleur animale à travers la chemise et reconnut en elle-même, avec inquiétude, les premiers signes dangereux de l'élan qui, irrésistiblement, tendait vers Miguel son corps en proie à la fièvre que seul il savait lui communiquer.

Il meurtrit ses lèvres d'un baiser possessif. Elle se sentit engloutie par lui, dévorée par lui jusqu'à abandonner toute résistance. Déjà, ce n'était plus une prisonnière impuissante qu'il tenait dans ses bras. Elle joignit les mains derrière la nuque de

Miguel, l'attirant encore plus près, lui rendant son baiser avec passion. Une éternité passa. Le sang battait violemment aux tempes de Romina, et elle n'entendait plus rien d'autre, plus rien que son désir absolu de lui appartenir...

Il la relâcha si brusquement qu'elle faillit tomber. Malgré la brise tiède, elle se sentit fouettée par un vent glacé, comme s'il l'avait jetée, toute nue, sur la banquise arctique. La voix légèrement haletante de Miguel, où pointait comme du triomphe, lui parvint de loin, très loin.

– Tu me disais, je crois, que tu étais vaccinée?

– Tu es un être totalement méprisable, Miguel! s'écria Romina, en colère, sortant de son étourdissement.

Il afficha une surprise peinée.

– Un mari embrasse sa femme, et c'est méprisable? Tu as des idées curieuses, mon petit.

– Tu n'es pas mon mari!

– Je suis ton mari et tu es ma femme, point final! articula-t-il en serrant les mâchoires.

– Ce... Ce n'est plus qu'une question de jours.

– Moi, je ne m'intéresse qu'au présent. Et, aujourd'hui, tu es encore ma femme. Je pourrais même invoquer mes droits conjugaux. *Tous* mes droits conjugaux!

Romina recula, trébucha de nouveau et dut se rattraper à une chaise. Elle bégaya, presque en pleurs :

– N'essaie pas de me toucher, Miguel. Va-t'en immédiatement!

– Je partirai quand j'aurai décidé de partir. Et je ne suis pas encore prêt.

– Alors, je... j'appelle la réception, et on va te faire sortir – par la force s'il le faut.

Il désigna le téléphone d'un geste flegmatique.

– Je t'en prie, ma chère. Cependant, je te préviens aimablement : en cas de querelle conjugale, mes compatriotes se rangent toujours du côté du mari.

– Pas au point de fermer les yeux sur un viol! riposta-t-elle. Et si tu tentais de...

– Je ne tente rien. Pas encore.

– Ne t'avise pas de le faire!

– Tu t'avances beaucoup, *cara*. Lancer un défi à un homme tel que moi!

– Ce n'était pas un défi..., balbutia-t-elle. Tu le sais parfaitement.

– Tout ce que je sais, ricana-t-il, c'est que si je décidais de te faire l'amour ici même, sur ce lit – appelle ça viol ou autre chose – ta collaboration serait des plus enthousiastes. Tu peux le nier?

– Absolument!

Il s'avança vers elle, menaçant.

– Si je te prouvais à quel point tu te trompes?

– Non!

Romina effectua une retraite désespérée vers le balcon, songeant qu'elle y serait davantage en sécurité, bien en vue des nombreux clients de l'hôtel installés autour de la piscine. Mais elle s'y sentit plus isolée encore.

– Pour l'amour du ciel, sois raisonnable, implora-t-elle comme Miguel la rejoignait. Je ne suis venue à Madère que sur ton initiative, pour parler de notre divorce. Laissons tomber tout le reste, veux-tu?

– C'est entendu.

Surprise par ce brusque changement d'humeur, Romina réfléchit rapidement.

– Eh bien, dans ce cas... inutile de faire traîner les choses. Viens dîner ici ce soir. Cela te convient?

La grande salle de restaurant du Majestic, toujours pleine de touristes, lui semblait un endroit idéal pour discuter en toute quiétude et se protéger des émotions inopportunes.

– Impossible. J'ai organisé une petite soirée en ton honneur à Boa Vista.

– Une soirée?

– Oh! Un dîner tout simple. Il y aura Julio da Costa – tu te souviens, mon bras droit – et sa femme, Inès. Et puis ma grand-tante Amalia, que tu n'as certainement pas oubliée. Elle est ravie de ton retour, Romina. Elle t'estime beaucoup.

– Je l'aime bien, moi aussi. Mais le moment est mal choisi pour les mondanités, Miguel. Je ne viendrai pas, tiens-toi-le pour dit.

– Je te conseille d'être plus sociable, ma chère! Après tout, c'est toi qui demandes le divorce.

– Il y a quelque chose qui m'intrigue. La première fois que je t'ai parlé de divorce, ton refus a été si catégorique que je m'étais presque résignée à attendre les cinq ans de séparation nécessaires pour l'obtenir sans ton consentement. Et tout d'un coup, te voilà d'accord. Je me demande bien *pourquoi*...

– Puis-je te demander quelle conclusion tu en tires? fit-il, impassible.

– Aucune, pour le moment.

– Alors, c'est l'impasse, apparemment.

Elle aurait bien aimé deviner ce qui se tramait dans son esprit retors. Pour éviter de lui fournir une autre occasion de se moquer d'elle, elle hasarda timidement :

– Je n'ose penser, Miguel, que tu voudrais m'humilier en me faisant dîner avec ta future épouse?

– Bien raisonné, dit-il laconiquement.

Cette réponse ambiguë mit Romina à la torture. « Y a-t-il une autre femme dans sa vie? Non, il ne faut pas lui poser directement la question. »

– De toute façon, je ne viendrai pas dîner à la *quinta*. N'insiste pas!

– Je n'insiste pas, je te l'ordonne!

– Tu n'as pas d'ordre à me donner, Miguel!

– Bien sûr que si, fit-il avec un sourire cruel. Tant que tu espéreras le divorce.

Elle le regarda, médusée.

– Mais c'est du chantage!

– Exactement! Mais pourquoi toutes ces histoires, Romina? Tu as peur de venir à Boa Vista?

– Peur? Et de quoi?

– De rien, bien sûr. Je t'attends à 7 heures. Tu veux que je t'envoie une voiture?

– Non, c'est inutile.

– Je vois. Un taxi serait en quelque sorte plus... neutre? suggéra-t-il avec ironie.

Romina hésita.

– Miguel, si je viens à Boa Vista ce soir, tu n'essaieras pas de... je veux dire...

– Je n'essaierai pas de faire ce que tu aimerais tant que je fasse? C'est ça?

Elle rougit violemment.

– Miguel, il vaudrait mieux rester strictement sur le plan des... affaires.

– La rupture d'un mariage, une affaire? J'ai bien peur que non!

– Comportons-nous du moins en gens civilisés.

– Civilisés! S'il y a bien quelque chose que notre mariage n'a jamais été, c'est civilisé. Je me souviens plutôt d'un feu d'artifice barbare.

– Oh! s'exclama-t-elle avec dégoût. S'il avait été plus civilisé, notre mariage tiendrait peut-être encore.

– La passion n'a rien de civilisé. C'est même contradictoire.

Romina se sentit soudain à bout de force, vidée de toute émotion, le corps las et l'esprit engourdi.

– Je t'en prie, Miguel, va-t'en, maintenant. A ce soir!

– Ne sois pas en retard!

– Est-ce que c'est déjà arrivé?

– Oui! fit-il avec une expression qui la glaça. Tu es en retard de deux ans!

Là-dessus, il lui adressa un petit salut désinvolte.

– A ce soir. *Até a vista.*

La porte à peine refermée, elle quitta le balcon et se jeta sur le lit, cherchant vainement le repos. La peau lui brûlait là où Miguel l'avait touchée; elle se tournait et retournait, tourmentée par le souvenir de ses lèvres, de son corps musclé contre le sien.

L'entendre se proclamer capable d'éveiller sa passion au moindre attouchement la remplissait de dégoût.

Et cependant, c'était vrai! Comment le nier? Elle se mit à trembler en évoquant, dans un chaos d'images, toutes les fois où Miguel avait usé de ses droits conjugaux. Malgré leurs violentes querelles, elle avait succombé dès ses premières caresses et satisfait avidement aux exigences de sa passion. Quelle humiliation!

Romina fut ramenée brutalement à la réalité par le soleil qui incendiait la chambre de ses derniers feux. 6 h 30! Pas une minute à perdre si elle voulait éviter encore d'autres sarcasmes.

Dans la salle de bains carrelée de rose, pendant que la baignoire se remplissait, elle ôta ses vêtements et se tint un moment devant le miroir. Ce qui avait dû attirer Miguel, dès la première rencontre, c'était la couleur de miel de ses cheveux soyeux. Cela devait le changer de toutes les brunes de son pays. Ses yeux d'un bleu vif de jacinthe lui semblèrent un peu gonflés, comme si elle venait de pleurer, et, sur la peau de ses épaules nues, elle pouvait voir les traces de l'étreinte brutale de Miguel, là où les doigts avaient pénétré cruellement dans la chair.

Que mettre? Elle n'avait guère le choix, entre la légère robe de coton, d'un bleu très doux, bien adaptée à la chaleur de cette soirée d'été, et un fourreau de soie noire. Sa garde-robe s'arrêtait là. Le fourreau faisait plus sophistiqué, il moulait superbement ses formes, et elle se demanda ce qui avait pu la pousser à l'emporter, étant donné le but de son voyage. Elle opta d'abord pour la robe en coton, mais, au dernier moment, elle passa le fourreau noir. Ce soir, elle aurait besoin de toute son asssurance, et savoir que cette tenue la rendait extrêmement séduisante lui serait d'un grand secours.

3

Le taxi roulait à vive allure sur la route pavée, entre les murs de pierre débordant de plantes exotiques. De légers nuages s'accrochaient au sommet des montagnes empourprées par le crépuscule. Elle se retourna pour contempler la baie de Funchal, aux reflets de bronze étincelants.

Madère, île des fleurs, île enchantée – perle de l'Atlantique! Hélas! toute cette beauté était gâchée par d'amers souvenirs. Une fois le divorce en route, rien ne pourrait la convaincre d'y revenir.

Le taxi passa entre deux piliers surmontés de griffons et s'engagea dans une allée bordée d'hibiscus. La *quinta* apparut, volets verts contre murs blancs. Un serviteur en livrée dévala le perron et ouvrit la porte de la voiture, s'inclinant très bas pour la saluer dans un anglais au fort accent.

– Heureux de votre retour à la maison, senhora dona Romina!

Dieu merci, elle le reconnut et se rappela son nom.

– Bonsoir, César.

En haut des marches, deux jeunes femmes de chambre, excitées, pépiaient en faisant force révérences. Elles étaient toutes deux nouvelles, et Romina leur adressa un sourire amical, mais elle avait toujours dans l'oreille les mots de bienvenue de César. « *Heureux de votre retour à la maison.* Qu'est-ce que Miguel a bien pu raconter au person-

nel? Il fit justement son apparition, vêtu d'un smoking blanc immaculé, et s'arrêta pour détailler
longuement sa silhouette.

— Dieu du ciel, tu es splendide dans cette robe,
querida. Plus belle que jamais!

Romina tressaillit lorsqu'il se pencha vers elle,
mais il lui effleura seulement la joue du bout des
lèvres.

— Tu donnes ton étole à César?

— Non, je préfère la garder, dit Romina, se souvenant qu'elle l'avait mise pour dissimuler les mar-
ques humiliantes des doigts de Miguel sur ses
épaules.

Ils pénétrèrent dans le salon, le bruit de leurs pas
résonnant sur les dalles hexagonales de marbre
blanc et noir. Romina leva les yeux malgré elle vers
la galerie du premier étage, au bout de laquelle
s'ouvrait une porte cloutée d'or – celle de la chambre de leur lune de miel. Elle se détourna aussitôt,
mais Miguel avait surpris son regard.

— Souvenirs, souvenirs..., dit-il d'un ton railleur,
tandis que Romina rougissait.

Le salon était spacieux, décoré avec goût dans
une harmonie pourpre et or. Les rayons du soleil
couchant venaient frapper un gigantesque miroir
vénitien au-dessus de la cheminée de marbre. La
pièce était vide.

— Je suis la première?

— C'est exprès! J'ai demandé aux autres de venir
pour 7 h 30.

Miguel emplit deux verres de vin de Sercial,
provenant de la réserve spéciale des Milaveira, et
commença à entretenir Romina des changements
survenus à la *quinta* depuis son départ.

— Ce que tu apprécieras, *cara*, c'est la nouvelle
piscine.

— Moi? Mais je n'en aurai pas l'occasion.

— Tu crois ça?

Romina sentit sa nervosité revenir à grands pas.

– Miguel, puisque nous sommes seuls, pourquoi ne pas en profiter pour parler du divorce?

– Tu ne vas pas gâcher cet heureux moment par quelque chose d'aussi déprimant? Il y a tellement mieux à faire en attendant les invités, fit-il en balayant d'un geste sa suggestion.

– Bien sûr, je ne peux pas te forcer la main..., soupira Romina.

– Je vois que tu commences à saisir.

– Mais tu m'avais promis que nous en parlerions si je venais à Madère. Me voilà, et tu éludes la question.

Miguel fut près d'elle en trois enjambées, l'œil brillant de colère.

– Tu attendais quoi, Bon Dieu? Ma bénédiction?

– Tout ce que je veux, c'est que tu m'écoutes, Miguel. Que tu essaies de comprendre mon point de vue.

– Oh, mais je comprends, ma chère... Je *te* comprends même mieux que toi-même.

Romina avait une repartie toute prête, mais un crissement de pneus l'interrompit. Miguel jeta un regard au-dehors et jura entre ses dents.

– Bonté divine! *Tia* Amalia! Elle arrive trop tôt! Tant pis, on n'y peut rien! Allons l'accueillir, Romina.

Une fois sur la véranda, près de Miguel, Romina se demanda soudain comment la vieille dame allait interpréter sa présence. Celle-ci était en train de s'extirper péniblement d'une grande limousine noire, avec l'assistance pleine de sollicitude de son chauffeur. Miguel descendit les marches et embrassa sa grand-tante.

– *Tia* Amalia! s'exclama-t-il chaleureusement. Romina a été ravie d'apprendre que vous veniez dîner.

Le regard de Romina rencontra les yeux perçants de *tia* Amalia. Elle descendit rapidement à son tour et embrassa deux joues parcheminées, sèches comme du papier.

– *Boa noite*, dona Amalia, murmura-t-elle. J'espère que vous êtes en bonne santé?

– Quand on atteint mon âge, Romina, voilà une chose dont on ne se préoccupe plus. On rend seulement grâce à Dieu d'être encore en vie.

Elle parlait d'un ton guilleret, dans un anglais prononcé avec beaucoup de soin.

– Mais nous prions pour que vous viviez encore longtemps, *tia* Amalia! Vous nous manqueriez trop.

Accrochée au bras de son neveu, la vieille dame lui tapota affectueusement la main.

– Est-ce que votre mari vous dit des choses aussi gentilles, mon enfant?

Romina rougit, ne sachant que répondre. Dona Amalia poursuivit :

– En tout cas, il a su vous faire revenir. Mon Dieu, comme je suis heureuse de vous voir enfin réinstallée à Boa Vista. J'attendais ce jour depuis longtemps!

– Oh, je ne suis pas..., s'écria Romina, mais un regard péremptoire de Miguel l'avertit d'en rester là.

De retour au salon, celui-ci tendit à la vieille dame un verre de vin et remplit de nouveau celui de Romina.

– Et maintenant, *menina*, racontez-moi...

Romina s'inquiétait déjà des questions de la tante Amalia, mais celle-ci ne s'intéressait qu'à la reine et à la famille royale britannique. Romina sauta sur ce sujet innocent avec reconnaissance et entretint la conversation jusqu'à l'arrivée des deux autres invités.

Julio da Costa était un jeune homme séduisant et courtois, visiblement terrorisé par son patron, et qui devait considérer cette invitation à dîner comme un grand honneur. Sa femme Inès, d'une beauté sombre, était paralysée par la timidité –

d'autant plus qu'elle s'exprimait difficilement en anglais. Romina sympathisa immédiatement et s'évertua à les mettre à l'aise, comprenant trop tard qu'en agissant ainsi elle jouait le jeu de Miguel. Lui-même avait choisi de parler peu, tactique destinée à faire jouer de bout en bout le rôle d'hôtesse à Romina, qui sentit la nervosité la gagner.

Ce dîner, dans le décor splendide de la *sala de jantar* aux lambris d'ivoire et d'or, lui rappela son premier repas à la Quinta da Boa Vista. Un instant auparavant, ils avaient consommé leur mariage avec ardeur dans la chambre du haut. Comme autrefois, la lumière des bougies caressait l'argent et le cristal et faisait luire d'un vif éclat l'acajou poli de la longue table. Les mets furent servis par un valet et une des jeunes bonnes – un consommé parfumé, du saumon nappé d'une subtile sauce aux herbes, puis des suprêmes de volaille aux petits légumes, le tout arrosé d'un frais *vinho verde*, un vin sec et léger du nord du Portugal.

Après le dîner, Miguel fit déguster au salon, à la lueur des chandeliers, un vieux madère.

– 1840! s'exclama Julio, impressionné par la date sur l'étiquette.

– Il est encore plus vieux que moi! gloussa dona Amalia. Et en bien meilleure condition, apparemment!

– Chère *tia* Amalia, les madères ont un avantage sur les humains, observa Miguel. On peut les rajeunir de temps en temps par l'addition judicieuse de nouveaux cépages.

– Quel procédé admirable, mon neveu! Nous devrions l'adopter.

Le regard d'acier de dona Amalia fit le tour du petit groupe et s'arrêta sur Romina.

– En fait, les pauvres mortels que nous sommes ont déjà résolu le problème. A chaque génération, nous laissons quelque chose de nous-mêmes dans nos descendants.

– Belle comparaison, *tia* Amalia, approuva Miguel. Entretenir la lignée d'un grand vin, c'est comme fonder une dynastie familiale. Si ce Malvoisie contient un écho de la toute première vigne, plantée il y a tant d'années, il doit aussi y avoir en moi un peu de mon arrière-arrière-arrière-grand-père. J'espère être fidèle à son souvenir.

— Je n'en suis pas si sûre, mon cher Miguel, répliqua la vieille dame. A ton âge, ton brave ancêtre avait déjà cinq enfants.

Son regard enveloppa son neveu et Romina, et elle reprit :

— Il serait temps de suivre ses traces.

Romina rougit violemment, tandis que Miguel répliquait en souriant :

— C'est ce que je souhaite de tout cœur, *tia* Amalia!

Au désespoir, Romina décida qu'il était plus que temps d'éclairer l'assistance sur les véritables raisons de son retour.

— Dona Amalia, il faut que je vous explique...

— Pas tant de cérémonies avec moi, *menina*. Pour vous, comme pour Miguel, je suis *tia* Amalia. Vous faites partie de la famille, ma chère enfant. Une famille aux rangs bien éclaircis, hélas!

— Mais c'est justement le problème, s'empressa de poursuivre Romina. Je n'en fais pas partie! Enfin, pour le moment peut-être, mais... je veux dire...

— Je m'en remets à vous pour voir éclore une nouvelle génération de Milaveira, fit-elle comme si elle n'avait rien entendu. J'aimerais bien être présentée à mon premier arrière-petit-neveu avant de mourir.

Effarée, Romina fit une nouvelle tentative :

— Je regrette tant de vous décevoir, mais je vous en prie... Il faut comprendre...

De sa vieille main parcheminée et couverte de bijoux, elle lui intima silence avec toute son autorité de doyenne de la famille.

— Le passé est le passé. Aujourd'hui, vous commencez une nouvelle vie. C'est parfait! Le temps des récriminations et des regrets est révolu... Venez vous asseoir près de moi, ma chère enfant. J'ai quelque chose pour vous.

Romina hésita, mais comment refuser? Elle s'exécuta à contrecœur, redoutant ce qui allait arriver.

– Donnez-moi votre main. Votre main droite.

Perplexe, elle tendit la main. La vieille dame ôta mystérieusement une de ses bagues et la glissa au doigt de Romina.

– L'anneau de Zarco! Vous savez ce que cela signifie?

L'anneau de Zarco, signe des descendants de l'explorateur portugais qui avait découvert en l'an 1419 cette petite île inhabitée de l'Atlantique, surnommée Madère, « l'île boisée ». Romina contempla le cercle d'argent armorié, semblable à celui que Miguel avait toujours été si fier de porter.

– Mais... je ne peux pas accepter!

– Vous pouvez et vous le devez! Vous en aurez la garde jusqu'à ce que vous puissiez le transmettre à votre tour.

Déroutée, Romina tenta faiblement d'ôter l'anneau.

– Non, vraiment... c'est... c'est impossible...

La voix de Miguel résonna à travers la pièce, coupante et autoritaire.

– Garde-le, Romina! Ma femme, *tia* Amalia, est honorée de porter l'anneau de Zarco.

Les larmes perlèrent aux yeux de la vieille dame.

– Puisse-t-il vous apporter le bonheur, ma chère enfant! Puisse-t-il couronner le plus cher désir de votre cœur.

Dona Amalia annonça très tôt son intention de se retirer. A vol d'oiseau, sa demeure, à Machico, n'était pas très éloignée, mais les routes en lacets de l'île allongeaient considérablement le trajet. Julio et Inès se levèrent aussi, Inès insistant timidement pour que Romina lui rende visite et fasse connaissance avec ses deux enfants. Romina répondit vaguement en souriant.

Aux côtés de Miguel, elle regarda depuis la véranda les voitures s'éloigner. Au-dessus d'eux, le ciel velouté était piqueté d'étoiles. Une myriade de senteurs parfumait l'air du soir. Ayant bu plus que de coutume, Romina se sentait d'humeur rêveuse. « Qu'est-ce que ça peut faire, après tout, si *tia* Amalia et les da Costa se sont mis dans la tête que Miguel et moi sommes de nouveau ensemble! C'est lui qui sera bien embêté quand il faudra les détromper. »

— Il faut que je m'en aille aussi, Miguel, annonça-t-elle en faisant un effort pour rassembler ses esprits. Tu m'appelles un taxi, s'il te plaît?

— Tu n'as pas envie de reprendre notre tête-à-tête interrompu? Tu semblais si anxieuse de me parler.

— Ce n'est plus le moment, il me semble.

— Pourquoi pas? demanda-t-il d'un ton sec. Nous sommes seuls... et il n'y a personne pour nous déranger.

Romina poussa un soupir exaspéré.

— Pourquoi donc es-tu si têtu, Miguel? Tu m'appelles ce taxi, oui ou non?

— Non. Je te reconduirai moi-même en temps voulu. Rentrons prendre un dernier verre.

— Merci, non, j'ai déjà trop bu.

— Et ce n'est pas bien?

Il prit un temps et ajouta :

— Si cela doit te rendre plus docile...

— Docile?

Il ignora son étonnement, une lueur moqueuse dans les yeux noirs.

— Un peu de café, alors. Viens!

Romina le suivit malgré elle dans le salon. Il tira sur le cordon de service, la femme de chambre apparut, et il commanda du café.

— Après cela, Maria, lui dit-il avec amabilité, vous pourrez aller vous coucher ainsi que le reste du personnel.

– *Muito obrigada*, dom Miguel, répondit la jeune fille avec un sourire épanoui.

Quelques minutes plus tard, elle revint avec un plateau chargé de tasses d'une porcelaine délicate, d'une cafetière d'argent ciselé et d'un petit pot de crème. Tout en versant le café, Romina remarqua que la maison était devenue très silencieuse, et elle se rappela que les serviteurs occupaient un bâtiment séparé. Elle était donc seule avec Miguel. En le regardant, elle se rendit compte qu'il avait deviné sa pensée.

S'efforçant de dissimuler un tremblement instinctif, Romina but son café à petites gorgées. Son esprit s'éclaircit peu à peu. D'un geste décidé, elle ôta l'anneau de Zarco de son doigt.

– Je ne peux pas le garder. Je n'aurais jamais dû l'accepter.

– Pourquoi? *tia* Amalia est très âgée, et je suis son seul proche parent. Tu ne trouves pas naturel qu'elle transmette cet anneau à ma femme?

– Tu as tout fait pour lui donner une impression fausse de la situation. Elle est persuadée que je suis revenue vivre avec toi.

– Ma tante croit ce qu'elle veut bien croire.

– Tu aurais pu lui dire la vérité.

Miguel lui adressa un sourire ironique.

– Toi aussi, *querida*, si tu avais été vraiment décidée.

C'était injuste de sa part, et Romina protesta furieusement :

– Tu m'as lancé un tel regard, quand j'ai voulu parler, que j'ai compris qu'il fallait ménager ta tante.

– Tu tiens compte de mes désirs, maintenant, Romina? Grande nouvelle! Toi qui te donnais tant de mal pour t'affirmer comme une femme libérée!

D'un geste impatient, elle lui tendit de nouveau l'anneau d'argent.

– Je ne veux pas discuter, Miguel. Je t'en prie,

reprends-le. Tu trouveras bien une explication pour ta tante... et les autres.

— Pas du tout! Tant que tu seras ma femme, tu porteras l'anneau de Zarco.

— Et si je refuse?

— Tu ne peux pas te le permettre... Rappelle-toi, c'est toi qui demandes le divorce.

— Je te déteste! cria-t-elle. Je ferais tout pour être débarrassée de toi.

— Tout?

Il fit un pas vers elle. Romina, redoutant ses intentions, bondit du canapé – si vite qu'elle heurta la table basse. La cafetière se renversa, inondant sa robe. Elle poussa un cri d'effroi.

— Quel geste stupide! Tu as mal?

— Non... Non, heureusement, le café n'était plus très chaud. Mais ma robe... quel gâchis! Qu'est-ce qui t'a pris de me sauter dessus comme ça?

— Tu semblais n'avoir aucun doute sur mes intentions. Sinon pourquoi réagir comme un chat échaudé?

— Parce qu'il y a belle lurette que je te connais.

— Et tu as peur de moi, toi, mon amour?

— Non!

Le mensonge était transparent. Miguel la considéra un bon moment, les yeux à demi fermés.

— Et si je décidais de t'embrasser?

— Il ne manquerait plus que ça!

— Tu ne pourrais pas m'en empêcher.

Romina sentit s'accélérer les battements de son cœur.

— Alors, pourquoi me le demander, si tu connais la réponse?

— Parce que je voudrais bien savoir si tu es devenue enfin franche envers toi-même.

Miguel sembla soudain se désintéresser de la question.

— Il faut nettoyer cette tache. Monte donc dans la salle de bains.

— Quelle salle de bains?

– *Ta* salle de bains! Ne me dis pas que tu as oublié où elle est!

Romina hésita. Mais une étrange curiosité la poussait à revoir la suite luxueuse où ils avaient passé leur lune de miel.

– Très bien, dit-elle enfin. Mais après, tu me reconduiras au Majestic, Miguel.

La chambre spacieuse, décorée d'une symphonie de pastels vert et or, attendait manifestement un occupant. Romina s'arrêta, surprise, sachant que Miguel préférait un environnement plus masculin. Oui, c'était pour elle! Il avait décidé qu'elle s'installerait à la *quinta*.

Elle contempla pensivement le grand lit recouvert de satin, évocateur de souvenirs, et ne put réprimer un petit frisson. Elle y jeta son étole et ôta sa robe dans la salle de bains attenante. Elle enleva facilement le café avec de l'eau, mais il en résulta une tache humide encore plus grande. Dieu merci, la chambre était munie d'un chauffage électrique d'appoint pour les soirées d'hiver trop fraîches. En slip et soutien-gorge, tenant la robe à bout de bras, elle rebroussa chemin et se figea sur place. Miguel était debout au pied du lit, les bras croisés sur sa large poitrine.

– Est-ce que la tache est partie?

Romina se sentit terriblement exposée sous son regard. Elle serra la robe contre elle.

– Qu'est-ce.. qu'est-ce que tu fais ici?

– Je suis venu voir si tu t'en sortais. C'est mal?

– Oui... Et tu le sais très bien.

– Je te comprendrais, dit-il en riant tout bas, s'il s'agissait de protéger ta pudeur virginale. Mais il est un peu tard pour ça, mon amour. Si tu te figures que le bout de chiffon auquel tu t'accroches me cache quoi que ce soit! J'ai vu tout ce qu'il y a à voir, *querida*. Et tant de fois! Même si tu ôtais les deux atours qui te restent, je ne découvrirais rien de ton corps adorable que je ne connaisse déjà...

– Je t'en prie, Miguel.

Malgré son aversion pour lui, une vision traîtresse assaillit Romina. Si Miguel connaissait son corps dans ses replis les plus intimes, elle aussi n'ignorait rien du sien. Il était – elle se l'avouait – admirablement bien bâti, avec sa poitrine large et ferme, semée de duvet noir, sa taille étroite et les longues hanches minces, les muscles durs saillant sous la peau lisse et bronzée...

Romina frémit en entendant Miguel rire de nouveau, avec une détestable arrogance :

– L'imagination est un vilain démon qui ne vaut rien à la paix de l'esprit, n'est-ce pas, mon amour ? Cela me fait penser que ce Desmond ne doit pas être l'amant idéal.

– Laisse Desmond tranquille, bégaya-t-elle.

– Volontiers. Nous oublierons même que Desmond existe.

Il continuait à l'examiner, s'attardant sur la courbe de ses épaules et la douceur arrondie de ses seins.

– Tu es superbe ! Je suis obligé de l'admettre, *querida*. Bien que je connaisse ton adorable corps par cœur, je brûle de l'explorer de nouveau.

– Ne me touche pas ! lança-t-elle en reculant vivement. Rappelle-toi cet après-midi.

– Mais maintenant, c'est la nuit ! Tu m'as fait attendre deux années entières et je te veux, Romina. Je te veux tout de suite !

– Non ! Non, Miguel, je t'en prie...

Il s'avança inexorablement vers elle, mais Romina, hypnotisée, fut incapable de bouger. Avec une impatience brutale, il arracha la robe de ses mains tremblantes et la jeta au loin. Puis il lui saisit le visage et la contempla un long moment, les yeux flamboyant de désir.

– Il est trop tard pour protester, grogna-t-il en forçant les lèvres de Romina sous la poussée brutale de sa langue.

Romina gémit d'impuissance et s'accrocha à lui, submergée par un flot de désir, la peau brûlante sous les doigts de Miguel. Elle se serra contre lui, écrasant ses seins ronds contre sa poitrine, caressant ses épaules musclées et fourrageant dans ses cheveux noirs.

Les secondes devinrent éternité, et tout s'abolit, sauf le désir qui emportait leurs corps dans le tourbillon d'une passion sans cesse croissante. Les doigts de Miguel rencontrèrent la barrière légère du soutien-gorge. Il jura et fit sauter l'agrafe, libérant les seins de Romina. Les prenant tour à tour dans sa main en coupe, il taquina les mamelons jusqu'à la faire gémir d'un délicieux tourment.

— Essaie encore de nier que tu me désires autant que je te désire, la défia-t-il. Dis-moi que tu me veux, Romina. Dis-le-moi!

— Non! protesta-t-elle faiblement. Non, ce n'est pas vrai...

Il éclata d'un rire où se mêlaient la fureur et le mépris.

— Tu as pris feu dès que je t'ai touchée. Un rien t'excite... Le jeu est presque trop facile.

L'humiliation fit l'effet d'une douche glacée sur Romina, éteignant les flammes qui la brûlaient. Se libérant brutalement, elle laissa échapper un torrent d'amertume.

— Alors, ce n'est que ça pour toi... un sale petit jeu! Eh bien, si tu veux savoir, Miguel... ce jeu ne signifie rien pour moi. *Rien!* D'accord, je suis une femme... et, comme la plupart des femmes, mon corps répond à l'homme qui se sert de sa sexualité comme d'une arme. Mais cela ne prouve rien, sinon que tu es un animal arrogant, qui tire tout son plaisir des faiblesses des autres.

Miguel l'avait écoutée avec une rage grandissante qui déformait ses traits.

— Tu as fini?

— Oui, j'en ai fini, et avec toi aussi, Miguel! S'il me restait le moindre doute, cette scène m'a fait comprendre quelle créature méprisable tu es.

— Petite allumeuse! Sale petite allumeuse! Tu

exhibes exprès ton corps séduisant pour rendre les hommes fous, et puis tu lèves au ciel tes yeux de sainte nitouche et tu fais des simagrées. Tu en as attiré combien dans ta toile d'araignée, Romina?

– Combien d'hommes? cria-t-elle.

Mais elle se retint de nier tout farouchement. Pourquoi lui donner la satisfaction d'apprendre qu'elle n'avait jamais fait l'amour avec un autre... Pas même avec Desmond!

– Les hommes que j'ai connus n'étaient peut-être pas parfaits, mais ne m'ont jamais paru aussi haïssables que toi.

Sous la colère, le visage de Miguel devint un masque démoniaque.

– Alors, *n'importe* quel homme peut satisfaire tes désirs? Tu me rends malade!

Il la repoussa avec une telle violence, qu'elle alla rouler au sol. Toute tremblante, Romina se releva, saisit l'étole de soie et en enveloppa ses épaules pour couvrir sa nudité.

– Si je te rends malade, Miguel, tant mieux, dit-elle avec une dignité pathétique. Cela mettra peut-être un terme au jeu cruel que tu joues depuis mon arrivée à Madère. Je ne suis venue que pour divorcer, on pourra enfin en parler.

– Dès que tu voudras! explosa-t-il. Ce ne sera jamais assez tôt. Plus vite je serai débarrassé de toi, mieux je me porterai!

Malgré son chagrin, Romina lui décocha un dernier trait.

– Je plains la femme qui sera assez stupide pour t'épouser.

– Pas autant que je plains Desmond, répliqua-t-il. Si le pauvre imbécile savait ce qui va lui tomber sur la tête!

Romina accusa le coup, bravement, comme si la remarque ne l'avait pas blessée.

– Comment pourras-tu jamais comprendre un homme tel que Desmond? La confiance, la pudeur, tu ne sais pas ce que c'est.

– Si ce type a confiance en *toi*, il est encore plus dingue que je ne croyais.

Déjà, Miguel avait retrouvé toute son assurance. La lueur sardonique tant redoutée dansait de nouveau dans ses yeux d'ébène. Elle ramassa sa robe, qui gisait toujours où Miguel l'avait jetée et lança froidement :

– Je te serai reconnaissante de bien vouloir me laisser m'habiller en paix. A moins que ce ne soit trop demander?

Il passa ses doigts dans ses cheveux noirs. Puis, avec une lenteur étudiée, il rajusta son smoking froissé.

– Je t'attendrai en bas, dit-il d'une voix glaciale. Dès que tu seras prête, je te reconduirai à l'hôtel.

La porte refermée, Romina fit de son mieux pour réparer les dégâts. La robe était toute chiffonnée. La grosse tache humide se voyait encore, mais elle n'en avait cure. Elle s'attarda à la coiffeuse, dont le miroir à trois faces lui avait si souvent réfléchi les ravages de ses querelles avec Miguel. Son visage lui était presque étranger – les longs cheveux emmêlés, le rouge à lèvres débordant, la peau vidée de toute couleur, les yeux noyés de cernes.

Quand elle descendit, Miguel l'attendait dans le salon, un verre à la main. Il la regarda à peine, comme une quantité méprisable.

Il conduisit à toute allure sur le chemin du retour. Au milieu des eaux noires de la baie, Romina aperçut les lumières d'un navire de plaisance à l'ancre. Il y avait un bal à bord, et la musique leur parvenait faiblement dans l'air calme de la nuit. C'était une vieille mélodie à la gloire de l'amour, douce et entraînante à la fois. Cruelle dérision!

Dans une espèce de brume, Romina voyait les vieux murs de pierre surgir devant le faisceau des phares, à chaque détour de la route. Lorsque Miguel s'arrêta enfin devant l'hôtel, elle ouvrit la portière et descendit. Ils n'avaient pas échangé un mot pendant le trajet. Elle distingua son visage tendu, aussi dur que la roche volcanique de l'île.

– Je t'appellerai demain, dit-il sèchement avant de démarrer.

A la réception, Romina murmura d'une voix blanche le numéro de sa chambre. En même temps que sa clé et son passeport, le veilleur de nuit lui tendit un pli jaune.

Un télégramme. Mais de qui? Elle décacheta et les mots dansèrent devant ses yeux : « Ai changé d'avis. Impossible te laisser seule avec ce type. Arrive demain. Tendresse. Desmond. »

4

Romina prit son petit déjeuner à la terrasse de l'hôtel. Les rayons du soleil jetaient sur la mer des reflets d'argent, et le navire de la nuit dernière quittait déjà la baie pour son prochain port d'attache. Elle aurait voulu être à bord, se laisser emporter au delà de l'horizon, vers des pays lointains où ses problèmes n'existeraient plus.

Une jeune femme assise non loin d'elle l'observait discrètement. Elle se pencha vers son mari.

– Comme notre voisine a l'air malheureux.

Elle engagea gaiement la conversation avec Romina.

– Il fait beau, n'est-ce pas? L'idéal pour un bain de soleil près de la piscine. Je me demandais... Cela vous plairait de nous y rejoindre, un peu plus tard?

Romina émergea de ses sombres pensées et se força à sourire.

– Heu, non... désolée, mais je ne peux pas. Merci quand même.

– Aucune importance! Une autre fois, peut-être.

La femme avait aperçu l'alliance au doigt de Romina.

– Vous êtes en vacances toute seule?

– Non. C'est-à-dire... Mon fiancé doit arriver aujourd'hui. J'avais un problème à régler, c'est pourquoi je suis déjà là.

– Eh bien, vous allez passer ensemble un merveilleux séjour, dit la femme, qui fixait l'alliance de Romina avec curiosité. Madère est un endroit adorable. Nous y revenons souvent, mon mari et moi.

Comment les autres pouvaient-ils mener une vie normale et sereine, alors que la sienne était un véritable enfer? Elle se sentait rejetée par le monde insouciant qui l'entourait. Dès que la politesse le lui permit, elle prit congé du couple.

Là-haut, dans sa chambre, Romina se prit à rêvasser. Peut-être fallait-il se réjouir de l'arrivée de Desmond? Le revoir l'aiderait à mettre de l'ordre dans la confusion de ses émotions, à couper les derniers liens qui l'unissaient à Miguel. « Le divorce prononcé, je pourrai enfin trouver le bonheur en refaisant ma vie avec Desmond. Il n'a peut-être pas cette séduction magnétique de Miguel, mais il me conviendra bien mieux comme mari. Il est moins passionné? Et alors? Notre union n'aura que plus de chances de réussir. Au moins, s'il est là, l'affreuse scène de la nuit dernière ne se reproduira pas. De toute façon, il n'y a guère de risques, Miguel m'a montré tant de haine! »

La sonnerie du téléphone la fit sursauter. Desmond qui l'appelait de Londres? S'il avait changé d'avis? Elle frémit en entendant la voix de Miguel.

— Bonjour, Romina! Tu as bien dormi?

— Très bien, merci, mentit-elle.

— Tant mieux! Quand est-ce qu'on se voit?

— Heu, à ce propos, Miguel... J'ai peur de ne pas pouvoir aujourd'hui. Desmond arrive cet après-midi, et il vaudrait mieux...

Miguel éclata d'un rire incrédule.

— Desmond? Ici? Je croyais qu'il avait totalement confiance en toi!

— La confiance n'a rien à voir là-dedans. Desmond a réussi à se libérer, et il a pensé... il a pensé que ce serait gentil de me rejoindre. Pour m'apporter son soutien moral.

— Soutien *moral*? Tu parles! Tu vas sans doute

53

demander à déménager dans une chambre pour deux?

Prête à nier farouchement, Romina se ravisa.

– Cela ne te regarde pas, Miguel.

Il préféra changer de sujet.

– Je présume que Desmond va prendre le même avion que toi hier. Tu veux que je te conduise à l'aéroport?

– Tu es fou, ou quoi? Si tu t'imagines un seul instant...

– Mais tu voulais qu'on se comporte en gens civilisés! Je passerai te prendre, disons à...

– Non, Miguel! Je ne sais pas à quoi tu joues, mais tu ne me feras pas entrer dans ton jeu. C'est définitif.

– D'accord, comme tu voudras... Ça nous laisse toute la matinée. Que dirais-tu d'un tour en bateau? Il y a un vent idéal pour faire de la voile.

Il avait l'air soudain si content de lui qu'elle en eut le souffle coupé. Elle lui en voulut de pouvoir la déconcerter si facilement.

– Alors? insista-t-il.

– Miguel, je ne te comprends vraiment pas! Après la nuit dernière, j'irais faire du bateau avec toi? A partir de maintenant, nous ne nous verrons que pour discuter du divorce.

– Mais en attendant le dévoué Desmond, pourquoi ne pas nous amuser?

– Tu sais très bien pourquoi.

– Mais tu seras en parfaite sécurité avec moi.

– Je ne pensais pas au danger, marmonna-t-elle.

– Vraiment? Je croyais que c'était chez toi une idée fixe... Quand je fais de la voile, mon amour, mes mains sont occupées à la manœuvre. Tu n'auras donc pas à te défendre de moi – ou à faire semblant.

Si Romina ne l'arrêtait pas, il se moquerait d'elle indéfiniment.

– Je te rappellerai, Miguel. Au revoir!

Elle raccrocha brutalement, regrettant, mais trop

tard, de lui prouver ainsi qu'il l'avait mise hors d'elle. Il devait jubiler. Elle se jura qu'on ne l'y reprendrait plus.

Elle brossa longuement ses cheveux blonds et les laissa tomber librement sur ses épaules. Puis elle décida de mettre quelques bijoux, comme par défi – des boucles d'oreilles blanches, une chaîne dorée avec un médaillon, des bracelets cliquetants.

Ainsi armée, Romina partit faire du lèche-vitrines et redécouvrir Funchal. Elle visita d'abord la cathédrale du XVᵉ siècle et admira le plafond de la nef, incrusté d'ivoire; puis elle entra dans une des boutiques d'artisanat local débordant de broderies, poteries, et autre vannerie. Elle traversa le bruyant marché aux poissons et aux légumes. Des femmes en costume traditionnel proposaient des orchidées somptueuses à des prix dérisoires.

Romina se réjouit de sa longue promenade. Sa fatigue lui faisait un peu oublier le chagrin qui lui serrait le cœur. Dans l'Avenida do Mar, elle s'arrêta à la terrasse d'un café d'où l'on apercevait le port et commanda un des délicieux jus de fruits locaux. Elle se cala confortablement sur sa chaise et admira les voiliers dans la baie. Sur lequel était Miguel? Avait-il trouvé une autre compagne pour sa sortie? « Tant mieux s'il est avec une autre femme! Celle qui me débarrassera de lui est la bienvenue! »

L'avion amorça sa descente à travers un ciel d'azur, rasant les sommets rocailleux à l'est de Madère. Romina le regarda atterrir depuis la terrasse de l'aéroport.

Une bonne partie des passagers était déjà descendue quand la silhouette plutôt râblée de Desmond apparut sur la passerelle. Elle agita vivement le bras, mais il était trop occupé à chercher son passeport pour la remarquer. Elle décida d'aller l'attendre en bas, à la sortie.

Desmond paraissait maussade, mais son visage

s'éclaira à la vue de Romina, et il se précipita vers elle.

– Chérie, comme c'est gentil d'être venue me chercher! s'écria-t-il en l'embrassant chastement sur les joues. Désolé de t'avoir fait attendre, mais c'est incroyable, on nous a fait remplir deux fois la même fiche... Vraiment, ces gens sont...

Romina le prit par le bras et dit d'un ton conciliant :

– Ces petits contretemps arrivent partout, Desmond. Viens vite, un taxi nous attend.

– Alors, tes affaires avancent? demanda-t-il comme le taxi démarrait.

– Oh, tout se passe bien! lança-t-elle avec un sourire un peu trop éclatant.

– Ton mari se montre compréhensif?

Le taxi stoppa brutalement. Un camion chargé de paniers d'osier attachés par de vagues ficelles venait de déverser son chargement, à la grande joie des autochtones, apparus comme par magie et qui dégagèrent la route. Malgré son espoir, Romina vit que l'incident n'avait pas distrait Desmond de ses préoccupations.

– J'espère que Miguel ne fait pas de difficultés?

– Il n'y a pas de raison!

– Peut-être, mais il a été si désagréable jusqu'à présent.

En prenant affectueusement la main de Romina dans la sienne, Desmond remarqua soudain l'anneau d'argent.

– Qu'est-ce que c'est que ça, chérie? Je n'avais jamais vu cette bague!

Romina se maudit intérieurement de n'avoir pas prévu la difficulté.

Inutile de mentir, Desmond s'en apercevrait tout de suite.

– C'est... ça s'appelle l'anneau de Zarco. Zarco est ce navigateur portugais qui a découvert Madère. Porter l'anneau est un grand honneur, cela signifie que l'on fait partie de sa descendance...

– Il n'est quand même pas ton ancêtre, ce... comment tu dis?

– Zarco. Moi, je n'en descends pas, mais la famille de Miguel, oui.

Desmond fronça les sourcils.

– Et on te l'a donné à ton mariage? Tu ne trouves pas le moment mal choisi pour le porter?

– A vrai dire, expliqua Romina en rougissant, je ne l'ai que depuis hier soir. C'est la grand-tante de Miguel qui me l'a offert. Tu comprends, Miguel est le dernier descendant de la famille et... n'étant pas au courant de ce qui se passe entre nous, elle était persuadée que cet anneau me revenait de droit. Miguel a déjà le sien, bien entendu.

– Mais tu n'as pas dit que tu ne serais plus sa femme longtemps? Et que tu étais précisément venue à Madère pour mettre un terme à votre union?

– C'est une vieille, une très vieille dame. Miguel ne voulait pas que je la contrarie, et...

– Comment cela s'est-il passé?

– Eh bien... Miguel avait convié quelques personnes à dîner – sa tante, le directeur de son entreprise et sa femme – et il m'a invitée aussi. Je n'ai pas pu refuser. Malheureusement, ils en ont tous conclu que Miguel et moi étions réconciliés.

– Et tu les as laissés croire ça? s'écria Desmond, effaré.

– J'ai... j'ai essayé de leur expliquer, honnêtement. Seulement, heu... c'était très difficile.

Le visage carré de Desmond exprima la désapprobation la plus totale.

– Alors donc, ma pauvre Romina, tu n'as réussi qu'à compliquer la situation. J'ai bien fait de venir! Laisse-moi prendre les choses en main... Au fait, il était où, ce dîner?

– Oh, à la *quinta*, répondit-elle le plus naturellement possible.

Desmond s'étrangla.

– Romina! Tu m'avais juré que tu ne mettrais pas les pieds chez ton mari!

– Je n'ai jamais promis ça. J'ai dit que je ne *m'installerais* pas chez lui – et cela tient toujours. Pour rien au monde, je ne passerais la nuit sous le même toit.

– Je l'espère bien!

Au grand soulagement de Romina, la route offrit une nouvelle occasion de changer de conversation. Le taxi se déporta dans un virage dangereux et ils s'écroulèrent pêle-mêle sur la banquette arrière.

– Ce type conduit comme un fou! On devrait lui retirer le permis, marmonna Desmond en se dégageant.

Romina s'efforça d'attirer son attention sur la vue magnifique qu'offraient la mer et la côte fleurie. Mais il n'était pas homme à se laisser impressionner par les beautés de la nature. C'est tout juste s'il leva le nez lorsqu'ils atteignirent Funchal et la splendeur de ses jacarandas en fleurs.

De Londres, Desmond avait réservé une chambre au Majestic. Un message l'attendait à la réception. Ils reconnurent avec stupeur l'écriture ferme et élégante de Miguel.

« Bienvenue à Madère, monsieur Bellamy, disait-il. Je suppose que vous n'avez pas l'intention de vous éterniser ici, aussi vaudrait-il mieux nous rencontrer au plus vite. Sur un terrain neutre, de préférence. Je serais très heureux si vous acceptiez, Romina et vous, d'être mes invités à dîner ce soir. Je me permettrai de vous envoyer une voiture vers 8 h 30, afin de vous laisser le temps de vous installer. Je compte vous emmener à la Taverna à Noite. C'est excellent et l'atmosphère y est agréable. Vous tomberez sûrement d'accord avec moi qu'il n'y a pas de raison de ne pas régler en gens civilisés le triste problème qui nous met en présence. Cordialement. Miguel da Milaveira. »

Seule Romina était en mesure d'apprécier la petite pique insidieuse du mot « civilisé ». Pendant ce temps, Desmond se livrait à des commentaires étonnés.

— Dis donc, ton mari a l'air d'un type correct. Oh! Je ne doute pas une seconde de tout ce que tu m'as dit de lui, chérie, mais... Eh bien, je trouve que nous devrions accepter cette aimable invitation avec le même esprit. Je déteste les petites rancœurs, pas toi?

Romina songea, ulcérée, que ce serait bientôt *elle* qu'on accuserait de créer des difficultés. Elle maugréa :

— On ne pourrait pas se voir ailleurs que dans un restaurant? Cela ne me paraît pas l'endroit idéal pour parler sérieusement.

— Le monde de la publicité ne t'a pas appris, chérie, que rien ne vaut un bon repas et un bon vin pour réussir une affaire? Puisque ton mari est si bien disposé, ce serait grossier de refuser.

Romina se mordit la lèvre, ravalant sa colère.

— Comme... comme tu voudras, Desmond, bredouilla-t-elle. Mais fais bien attention, Miguel a l'esprit très retors.

— Ne t'inquiète pas, répondit-il avec désinvolture.

Il fit appeler la Quinta da Boa Vista et laissa un message au serviteur venu prendre la communication : M. Bellamy et sa fiancée étaient heureux d'accepter l'aimable invitation du senhor da Milaveira.

Après s'être reposés un moment chacun dans sa chambre, Desmond et Romina prirent le thé au salon, puis remontèrent s'habiller pour le dîner. Romina n'avait plus que sa robe en coton bleu de convenable. De toute façon, elle ne porterait plus jamais ce maudit fourreau noir, songea-t-elle en frissonnant.

A 8 h 30 précises, la voiture envoyée par le senhor da Milaveira était devant l'hôtel. Desmond semblait d'humeur particulièrement optimiste, tout se passait bien mieux qu'il ne l'avait prévu.

– Courage, chérie! Je suis sûr que nous allons passer une excellente soirée.

Le restaurant occupait le sous-sol voûté d'une vieille ferme, près du jardin botanique. Il y régnait un mélange subtil de simplicité paysanne et de grand luxe. De vieilles lanternes de bateau pendaient du plafond, des bougies sur chaque table caressaient de leurs lueurs les étains et les cuivres. Un trio de musiciens – combinaison typique de *guitarra* portugaise à douze cordes, d'alto et de basse de viole – jouait en sourdine.

Miguel était assis au bar sur un haut tabouret; il se leva pour venir à leur rencontre, impeccable dans un léger costume sombre qui accentuait sa séduction virile. Un sourire des plus amicaux éclairait son visage.

– Bonsoir, Romina! Inutile de faire les présentations. Très heureux de vous rencontrer, monsieur Bellamy.

Desmond parut flatté.

– Je dois avouer que votre invitation m'a causé un grand plaisir, senhor da Milaveira. Il vaut mieux que les choses se passent ainsi, j'en suis sûr.

Un serveur les précéda à leur table. Les deux hommes prirent place de chaque côté de Romina.

– C'est charmant, ici! remarqua Desmond. C'est le genre d'endroit que les touristes manquent à tous les coups.

Miguel leur lut la carte des vins puis passa la commande.

– Il est encore trop tôt, leur dit-il, mais, tout à l'heure, quand Gonvera chantera, toutes les tables seront remplies.

– Gonvera? s'étonna Desmond.

– Vicencia Gonvera, une célèbre chanteuse de *fado* – en fait, la meilleure *fadista* de Madère. C'est la propriétaire du restaurant. Pour ne rien vous cacher, Vicencia a bien voulu accepter de dîner avec nous ce soir.

60

– Mais nous sommes traités comme des princes! s'exclama Desmond, avec un sourire ravi.

Miguel s'excusa et se leva pour accueillir la jeune femme qui venait d'apparaître entre les rideaux d'une arcade. Desmond se tourna vers Romina.

– Il a raison, ce sera plus agréable d'être quatre. On discutera pendant qu'elle chantera... Je parie que c'est sa petite amie, fit-il en clignant de l'œil.

En les voyant approcher de la table, Romina dut admettre qu'ils formaient un couple idéal. La jeune femme, qui avait dans les trente ans, était d'une beauté théâtrale. La lourde chevelure noire aux reflets cuivrés encadrait un front pur. Les pommettes étaient hautes, les yeux d'un noir impénétrable. La bouche rouge et sensuelle suggérait l'expérience de l'amour. Elle portait une robe de soie noire, dont le décolleté en V plongeait entre ses deux seins ronds et voluptueux. Un châle de dentelle noire enveloppait ses épaules.

Desmond bondit sur ses pieds, et Miguel fit les présentations. Vicencia Gonvera lui accorda un léger sourire, révélant une rangée de dents pareilles à des perles.

– Senhor, senhora, je suis très heureuse de vous rencontrer, dit-elle d'une voix sensuelle.

– Il paraît que nous allons avoir le plaisir de vous entendre chanter, senhora Gonvera, bégaya Desmond, sous le charme.

– Tout le plaisir sera pour moi, fit-elle sèchement. Dites-moi, senhor Bellamy, vous aimez le *fado*?

– J'ai bien peur de ne pas savoir exactement ce que c'est, senhora, confessa-t-il.

Miguel intervint.

– Assez de cérémonies! Si nous nous appelions par nos prénoms? Le *fado*, Desmond, est typiquement portugais. En gros, le mot signifie destin, et la chanson est presque toujours triste... Elle évoque des temps révolus, des amours impossibles, la jalousie, bref, c'est un cri de désespoir qui semble monter du fond même de l'âme.

Romina, qui jouait nerveusement avec son verre, remarqua que Desmond semblait plutôt mal à l'aise. Son cerveau flegmatique d'Anglais devait trouver de la sensiblerie latine au discours de Miguel.

– Il me tarde d'en entendre, dit-il sans se compromettre. Heu... Vous connaissez Vicencia... depuis longtemps, Miguel?

– Je connaissais *de réputation* la grande Gonvera depuis des années. Son nom est célèbre à travers tout le Portugal. Mais ce n'est que depuis qu'elle a quitté Lisbonne pour revenir s'installer ici qu'elle et moi...

Il s'interrompit, comme s'il n'avait pas besoin d'en dire plus. « Hélas, songea Romina avec amertume, la façon possessive dont il l'a escortée jusqu'à la table, les regards qu'elle lui jette, ne laissent aucun doute sur la nature de leurs relations. »

– Tu ne parles pas beaucoup ce soir, Romina, lui jeta soudain Miguel. Cela ne te ressemble pas.

Oh! Il se réjouissait de son trouble! Elle décida de lui refuser ce plaisir en se conduisant normalement – du moins en *apparence*. Arborant un large sourire, elle se mit à poser à Vicencia force questions sur sa carrière – auxquelles l'autre répondit avec une condescendance ennuyée. Romina n'avait pas d'appétit, mais elle se força à faire honneur aux spécialités locales.

– Ce poisson est vraiment délicieux. Qu'est-ce que c'est? demanda Desmond qui, lui, avalait de bon cœur.

Romina, toute à son nouveau rôle de bavarde, sauta sur l'occasion.

– C'est de l'*espada* – du poisson-épée. On n'en rencontre qu'ici et au Japon. On le pêche la nuit avec des lignes d'une longueur incroyable, car il vit dans les profondeurs.

– Quelle mémoire, Romina! murmura Miguel. C'est exactement comme je te l'ai raconté. Tu te souviens quand?

Si elle s'en souvenait! C'était une nuit chaude et

tranquille, pendant leur lune de miel. Miguel venait de lui faire l'amour avec moins de violence mais peut-être un peu de cette tendresse que Romina recherchait désespérément. Après, comblée d'une douce sensation de plénitude, elle avait respiré avec lui sur le balcon l'air frais de l'Océan.

– Comme... comme c'est beau, Miguel! avait-elle murmuré, englobant dans cette expression une foule de choses – leur amour, quelques minutes auparavant; leur intimité du moment; la paix de cette nuit et son air parfumé; toute cette île paradisiaque. Miguel lui avait parlé des pauvres pêcheurs de Camara da Lobos, et du poisson-épée qu'ils attrapaient, là-bas, sur les bateaux dont les lumières clignotaient au delà du cap. Ils se transmettaient leur secret génération après génération. Son récit pittoresque l'avait touchée.

Romina haussa les épaules avec désinvolture.

– Je ne me souvenais plus que c'était toi qui m'avais raconté ça, Miguel.

Elle se força à soutenir son regard sans ciller. A ce moment, Vicencia, d'un mouvement vif, toucha la main de Miguel pour attirer son attention sur une de leurs relations communes qui faisait son entrée dans le restaurant. Le geste trahissait assez d'intimité pour que les larmes perlent aux yeux de Romina. Bientôt, Miguel serait libre, et c'était elle qui lui rendait sa liberté, qui lui *demandait* même de l'accepter. Cette créature sûre d'elle et sophistiquée réussirait-elle à gagner l'amour profond qui lui avait toujours été refusé?

Craignant de ne pouvoir retenir ses pleurs, Romina se leva en murmurant une excuse. Seule dans les toilettes, elle s'essuya les yeux devant un miroir. Mais la porte s'ouvrit, et Vicencia Gonvera apparut.

– J'ai l'impression que vous êtes bouleversée, déclara-t-elle d'une voix suave. Mais c'est bien naturel.

– Moi? Bouleversée? Et pourquoi? demanda bravement Romina.

– Mais c'est évident – pour moi, pour tout le monde. Vous traversez – comment dirai-je – une période difficile, non? Hélas, inutile d'espérer. Vous feriez mieux de reconnaître que votre mariage a toujours été un échec.

– Si vous croyez que j'espère une réconciliation, vous vous trompez complètement, répliqua Romina d'un ton léger. J'ai commencé à regretter d'avoir épousé Miguel le jour du mariage. Et je n'attends que le moment d'être débarrassée de lui – de façon *définitive*. Si quelque chose me chagrine, ce sont plutôt les délais.

Tout simulacre d'amitié disparut du visage de Vicencia. Elle fixa Romina dans le miroir avec une hostilité ouverte.

– Quel petit jeu jouez-vous, senhora? Vous êtes venue à Madère avec ce Desmond pour attiser la jalousie de Miguel, n'est-ce pas?

– Vous dites vraiment n'importe quoi.

– Vous croyez? Vous n'aimez pas votre petit Anglais, ces choses-là n'échappent pas à une femme.

Romina voulut protester farouchement de son amour pour Desmond, mais les mots ne vinrent pas. Elle murmura :

– Vous pensez sans doute que je suis toujours amoureuse de Miguel, en secret?

– Naturellement.

– Dans ce cas, pourquoi essayer d'amener Miguel à accepter le divorce, comme je m'y efforce?

Vicencia Gonvera lissa de l'index un sourcil soigneusement épilé.

– Je vois votre manège – réveiller l'amour d'un homme en prétendant vouloir le contraire. C'est peut-être bon avec un Anglais, mais Miguel est une nature autrement passionnée. Vos manigances n'aboutiront qu'à le détourner de vous.

Romina s'efforça d'ignorer la douleur qui lui serrait le cœur.

– Tant mieux! s'écria-t-elle. Je ne cherche pas autre chose.

Mais elle se rendait compte, au comble de l'humiliation, que Vicencia n'en était pas plus convaincue qu'elle-même.

– Je crois qu'il vaut mieux rejoindre les hommes, dit la *fadista*. Ils vont se demander ce qui se passe.

De retour à table, Vicencia déploya tout son charme. Seule Romina était à même de détecter la pointe de venin dans les modulations de sa belle voix. La *taverna* se remplissait lentement et le brouhaha des conversations et des rires montait, tandis que les serveurs allaient et venaient entre les tables. Au bout d'un moment, Vicencia les quitta pour se préparer à chanter.

Les lumières baissèrent et le silence se fit soudain. Sous le faisceau d'un projecteur, les rideaux d'une arcade s'entrouvrirent, et Vicencia apparut, longue silhouette voluptueuse, le châle noir à présent négligemment jeté sur une épaule. Elle resta immobile quelques secondes devant l'assistance qui retenait sa respiration. Enfin, le guitariste plaqua un accord, une note pure qui s'éleva en tremblant dans l'atmosphère tiède et enfumée. Une main sur la poitrine, Gonvera se mit à chanter de sa voix profonde et rauque. Romina, en dépit de son aversion pour elle, sentit sa gorge se nouer. La *fadista* entraînait les spectateurs pétrifiés par la magie de son art dans un monde de désespoir, de tragédie et d'amour perdu. La chanson se termina sur un murmure, saluée par un tonnerre d'applaudissements, de bravos. Les hommes se levèrent pour marteler le sol du pied en guise d'hommage.

– Pas mal du tout! reconnut Desmond. C'était plutôt émouvant, non?

Romina regarda son mari à travers la table. Son expression habituelle de cynisme s'était évanouie, comme si le chant de Gonvera avait atteint son cœur de pierre. Mais la lueur moqueuse qu'elle connaissait si bien réapparut vite dans ses yeux.

– Plutôt émouvant, comme vous dites! fit Miguel en commandant un magnum de champagne.

– Du champagne? s'étonna Desmond. On fête quelque chose?

– C'est ce que je croyais, répondit Miguel sans quitter Romina des yeux.

Lorsque Vicencia les rejoignit, Romina ne put s'empêcher de la féliciter, et Desmond renchérit :

– Vous savez faire passer une émotion. C'était très triste, très... désenchanté.

– Nous appelons ça la *saudade*, expliqua Miguel. C'est impossible à traduire, Desmond, « tristesse » n'est pas assez fort. Je crois que le *fado* portugais doit beaucoup à la nostalgie que nous éprouvons pour le passé splendide de notre nation – les beaux jours du prince Henri le Navigateur et de Zarco qui découvrit Madère.

Romina glissa instinctivement sa main sous la table, mais Miguel avait déjà remarqué l'absence de l'anneau d'argent donné par sa grand-tante. Elle se souvint avec effroi qu'il avait menacé de faire des difficultés à propos du divorce si elle refusait de le porter. Mais ce n'était pas sérieux. Il devait être pressé, lui aussi, de se débarrasser d'elle.

Desmond, alléguant la fatigue du voyage, manifesta le désir de rentrer peu après minuit. Dans la voiture qui les ramenait à l'hôtel, il plaisanta :

– Dieu du ciel, chérie, tu te rends compte? Nous avons complètement laissé de côté notre affaire! Ma foi, tant pis. Nous réglerons tout ça pendant le week-end. Je suis sûr que Miguel ne nous mettra pas de bâtons dans les roues.

Romina, qui agitait de sombres pensées, ne répondit pas.

– Quand on le voit avec cette chanteuse, poursuivit Desmond, on comprend qu'il puisse vouloir divorcer, lui aussi. Elle est extraordinaire, tu ne trouves pas?

Comme elle restait bouche cousue, il lui lança un regard inquiet.

– Oh! Elle n'est pas du tout mon type, et ces histoires de vague à l'âme et de nostalgie, ça me dépasse un peu. Mais elle semble exercer un attrait terrible sur Miguel. C'est un Latin, lui aussi... Votre mariage n'avait guère de chance d'aboutir à quelque chose, chérie. C'était comme essayer de mélanger l'huile et l'eau. Mais ces deux-là, vraiment, ils sont faits l'un pour l'autre!

5

Le samedi matin, Romina s'éveilla à l'aube. Elle sortit sur le balcon pour contempler un lever de soleil dont la splendeur était un affront à son humeur morose. Elle essaya de tuer le temps avant le petit déjeuner en crayonnant une ou deux esquisses.

Enfin, elle rejoignit Desmond sur la terrasse. Il portait un pantalon de toile, une chemisette jaune et un foulard noué autour du cou. Il lui donna un baiser léger, sous l'œil approbateur de la femme qui avait parlé à Romina la veille.

– Quel temps splendide, n'est-ce pas, chérie? s'écria-t-il avec enthousiasme. Je me demande bien pourquoi je n'ai jamais pensé à prendre mes vacances à Madère.

– Il est un peu tard pour se le demander, répondit-elle sèchement. Je n'y reviendrai jamais.

– Non, bien sûr, vu les circonstances.

Tout en avalant son café, Desmond contempla la piscine de l'hôtel. Des baigneurs y barbotaient déjà.

– Je regrette de n'avoir pas mon maillot. Tu as emporté le tien? demanda-t-il.

– Non. J'ai pensé que cela n'était pas la peine.

– On pourrait s'en acheter un en fin de matinée, quand j'aurai visité les caves vinicoles. Ce serait super de se baigner.

– Les caves? Quelles caves?

– Oh! je ne t'en ai pas parlé, chérie? Miguel voulait me montrer comment on fabrique le madère, et il m'emmène dans sa propriété ce matin. C'est gentil, non?

– Mais... Et moi?

– Ma foi, j'ai d'abord cru que tu étais comprise dans l'invitation. Mais Miguel m'a dit que ce genre de visite ennuyait les femmes. Et que, de toute façon, tu connais ça par cœur.

Miguel manigançait quelque chose, mais quoi? Pourquoi l'éliminait-il ainsi? Elle n'allait pas le laisser régaler Desmond, dans son dos, de Dieu sait quelles histoires!

– Si tu tiens tellement à voir ces caves, Desmond, je t'accompagne. Je ne vais pas me tourner les pouces toute la matinée. Et puis, on amènera peut-être Miguel à parler du divorce, comme on était *censé* le faire hier soir.

– D'accord, chérie. Je suis sûr qu'il ne verra pas d'objection à ta présence.

« Et moi, je me moque éperdument que cela lui plaise ou non », se dit-elle.

Après le petit déjeuner, elle laissa Desmond plongé dans un journal anglais et monta troquer son jean et son tee-shirt contre une tenue un peu plus élégante.

Un taxi les déposa devant un bâtiment long et bas, aux murs blancs et au toit de tuiles de terre cuite. Dans un coin de la cour, un citronnier chargé de fruits jaune vif protégeait de son ombre un vieux pressoir.

Miguel apparut sous la voûte de l'entrée pour les accueillir. Il était vêtu d'un pantalon léger et d'une chemise largement ouverte sur sa poitrine bronzée. Romina sentit son pouls battre plus vite. « Comme il est beau! Mais cela ne veut rien dire. N'importe quelle femme serait sensible à ce genre de charme viril. »

– Hello, Desmond! Alors, vous avez réussi à convaincre Romina de venir. Quelle chance!

Son regard s'attarda sur elle, et elle remercia le ciel d'avoir pris la peine de passer sa petite robe vert tilleul, qui ne manquait pas de chic.

– Comme tout a l'air net et briqué! s'écria Desmond, admiratif. Mais qu'est-ce que c'est, ce truc antique, sous le citronnier?

– Ce *lagar* est une pièce de musée. Cela va vous surprendre, mais on utilise encore des pressoirs de ce genre dans certains vignobles. On entasse le raisin dans la cuve et six hommes – trois de chaque côté de la poutre – l'écrasent avec leurs pieds nus. C'est un spectacle pittoresque, surtout quand un guitariste vient jouer un petit air. C'est primitif et efficace, comme nous, les gens de Madère.

Pour éviter de regarder Miguel, Romina écrasa entre ses doigts une feuille de citronnier et en huma le parfum poivré.

– Vous possédez beaucoup de vignobles? demanda Desmond avec curiosité.

– Non, pas tellement. L'industrie du madère ne se compare pas à celle des vins de France ou d'Espagne. Nous sommes plutôt des artisans...

Romina s'éloigna pour contempler la vue de Funchal, par-dessus un mur bas festonné de bougainvillées pourpres. La ville s'étageait en amphithéâtre sur les collines environnant la baie et le port. Elle entendit vaguement Miguel expliquer comment on cultivait les vignes sur les pentes escarpées. Une fois pressé sur place, dans chaque petite propriété, le jus de raisin était transporté dans des coopératives où il devenait un des trois principaux types de madère.

Tout en entendant ronronner les voix des deux hommes, Romina rêvassait. Ses pensées l'entraînèrent ailleurs, aussi légères que les papillons bleu pâle qui voltigeaient dans le jardin.

– Tu te souviens des *borracheiros*, Romina?

Elle tressaillit et se retourna.

– Désolée, Miguel, tu disais?

– Je racontais à Desmond comment, lorsqu'il n'y

a pas de route, les hommes transportent encore le jus de raisin dans des outres en peau de chèvre, sur leurs épaules. Nous avons rencontré un jour des *borracheiros*, toi et moi...

Elle n'avait pas oublié. Comme il était habile à choisir, parmi leurs souvenirs, les plus doux, les plus romantiques! C'était le dernier jour de leur lune de miel, et il l'avait emmenée assister aux vendanges dans un de ces petits villages perchés dans la montagne. Quand la route avait fait place à un chemin étroit, ils avaient abandonné la voiture et marché à travers la campagne sauvage en suivant une *levada*, un de ces conduits d'eau ouverts caractéristiques du système d'irrigation à Madère.

Une heure plus tard, transpirants et essoufflés, ils s'étaient laissé tomber sur l'herbe odorante, à l'ombre d'un eucalyptus, pour dévorer leur pique-nique. Ils avaient partagé une miche de pain croustillant, du fromage du pays, d'énormes tomates juteuses, enfin des pêches et de délicieuses tartelettes, le tout arrosé de vin blanc frais.

– Quel repas! avait dit Romina, soupirant d'aise.

Comme elle s'allongeait, Miguel s'était penché sur elle en souriant et avait suivi du doigt le contour de sa joue. Ses lèvres s'étaient posées sur les siennes, douces et insistantes, tandis que ses mains erraient sur son corps, soulevant une onde de plaisir frémissant en ces endroits secrets que sa caresse savait découvrir. Ils avaient fait l'amour avec passion et s'étaient endormis dans les bras l'un de l'autre. Plus tard, ils s'étaient remis en route et avaient enfin gagné le village, où régnait une activité fébrile. Même les vieilles femmes et les petits enfants aidaient à la cueillette. On versait les hottes d'osier pleines de raisin dans la cuve jusqu'à ce que celle-ci soit suffisamment remplie, avait expliqué Miguel, pour produire au moins mille litres de *mosto* – le jus non fermenté. Fascinée, Romina avait regardé les hommes écraser le raisin, le visage, les vêtements et les pieds souillés de rouge. Leur travail était comme une danse rituelle et frénétique.

– Heureusement que tu ne comprends pas le portugais, *cara*, avait dit Miguel en riant. Leurs plaisanteries sont plutôt crues.

Les *borracheiros*, les porteurs, étaient venus un par un remplir leurs étranges outres de peau de chèvre au flot jaillissant du pressoir. Ils repartaient en vacillant sous leur fardeau vers le point de collecte le plus proche, au bord de la route.

Pour rejoindre la voiture, Miguel avait emprunté des chemins détournés. A un endroit, le sentier de la *levada* n'était plus large que d'une cinquantaine de centimètres et bordait un précipice vertigineux. Romina s'arrêta, prise de panique.

– Je ne pourrai jamais passer. Je suis désolée... mais cet à-pic... j'ai peur.

– Tu veux que je te porte, ma chérie? demanda-t-il gentiment, sans se formaliser de sa frayeur.

– Me porter?

– Pourquoi pas? Quand on a grandi à Madère, on a l'habitude de ces sentiers de montagne. Je vais jouer au *borracheiro* et tu seras mon outre de vin!

Il brisa une branche pour en faire un bâton de marche. Puis il saisit Romina à bras-le-corps et la balança en riant sur ses larges épaules.

– Ne crains rien, j'ai porté des fardeaux bien plus lourds quand je venais autrefois surveiller les vendanges avec le régisseur de mon père. Mais il ne faut pas te tortiller, chérie, ça n'est pas dans les mœurs des outres de vin!

Elle ferma les yeux et s'agrippa à lui, puis, au bout de quelques minutes, elle découvrit avec étonnement que sa peur la quittait. Miguel marchait la tête haute, le bâton dans la main droite, sa main gauche retenant Romina. A travers le fin tissu de sa robe, elle pouvait sentir la chaleur de son corps, les mouvements sûrs et rythmés de ses muscles puissants. Comme les porteurs de vin, il fredonnait en sourdine une mélodie aux accents étrangement hypnotiques. Lorsqu'il la reposa, elle en éprouva presque du regret.

– Te voilà saine et sauve.

Il la prit dans ses bras et l'embrassa avec beaucoup de tendresse.

Ces moments précieux de leur vie commune, Romina les avait, depuis, enfouis dans sa mémoire. Ils gisaient, bien cachés, sous la haine et sous la rancœur. Mais avec quelle dextérité diabolique Miguel savait les faire revenir à la surface!

Fort heureusement, Desmond n'attendit pas qu'elle réponde à son mari à propos des *borracheiros*.

– Quand on pense qu'on utilise encore des méthodes aussi archaïques! déclara-t-il.

– Mais on connaît aussi le dernier cri à Madère, rectifia Miguel. Si vous voulez me suivre, Desmond, je vais vous montrer une des installations les plus modernes du monde.

Miguel était visiblement fier de son entreprise. Ils pénétrèrent derrière lui dans un bâtiment où s'alignaient d'énormes cuves sous les voûtes obscures. Romina, qui connaissait par cœur tous les procédés de vinification, laissa les hommes aller de l'avant. Elle erra sans but parmi des rangées de fûts, perdue dans ses pensées, enjambant çà et là un tuyau.

Elle entendit un bruit de pas. Elle songea d'abord qu'il s'agissait d'un employé, mais c'était Miguel.

– On se demandait où tu étais, *cara*.

Elle se retourna brusquement et vit qu'il était seul. Le cœur battant, elle demanda :

– Où est Desmond?

– Je l'ai laissé dans la salle de dégustation. Je crois qu'il apprécie beaucoup le madère.

Elle tenta de le dépasser pour gagner la salle où les touristes étaient invités à goûter la production Milaveira après les visites organisées. Mais des doigts d'acier la saisirent par le poignet, l'obligeant à faire volte-face.

– Tu n'as pas répondu à ma question, tout à l'heure, murmura Miguel.

– Quelle question? fit-elle, en essayant vainement de se dégager.

– Le jour des *borracheiros*. Tu t'en souviens?

– Vaguement, mentit-elle.

– Je vais te rafraîchir la mémoire.

Il avait pris un ton tellement neutre qu'elle ne devina pas ses intentions. Et elle se retrouva plaquée contre sa poitrine, avec les mains de Miguel qui couraient voluptueusement le long de son dos, la caressant à travers le fin tissu de sa robe comme si elle était nue.

– Lâche-moi, suffoqua-t-elle, ou j'appelle Desmond!

– Il ne peut tout de même pas me provoquer en duel parce que je me permets de badiner avec ma propre femme. Comme ceci...!

Sa bouche écrasa brutalement celle de Romina. Elle lutta pour se dégager, mais bientôt, elle sentit avec horreur fondre sa résistance. Ses lèvres s'entrouvrirent, elle lui rendit son baiser avec ardeur et attira Miguel encore plus près.

Il se redressa et s'écarta d'elle, un sourire sardonique aux lèvres, les yeux brillants dans la demi-obscurité.

– Regarde, *cara*, comme c'est facile de vaincre ta résistance.

Elle fut prise d'une bouffée de haine, contre lui et contre elle-même.

– Prétentieux! Je n'ai jamais nié ton pouvoir de séduction...

– Heureusement! Personne ne te croirait! ricana-t-il. Tu manquerais de conviction. De mon côté, je ne peux pas nier que tu rendrais n'importe quel homme fou de désir.

Il referma la main sur la rondeur d'un sein, tandis qu'il effleurait la tempe de Romina de petits baisers, avant de passer à sa bouche et de descendre enfin, le long de sa gorge, vers la vallée secrète que dévoilait à peine l'échancrure de la robe.

— Non, gémit-elle en le repoussant. Je t'en prie, Miguel... Quelqu'un pourrait nous voir.

— Un de mes hommes? fit-il en éclatant de rire. On peut compter sur eux pour fermer les yeux. Personne ne nous dérangera tant que Desmond n'aura pas décidé lequel de mes excellents vins flatte le mieux son palais.

— Evidemment, le personnel a l'habitude, rétorqua-t-elle. Ce n'est sans doute pas la première fois que tu amènes une fille dans ce guêpier.

— Je ne t'ai pas forcée à venir, observa-t-il avec une triomphante logique. Tu n'étais même pas invitée, *cara*. Pourquoi cette idée d'accompagner Desmond? Un intérêt subit pour le vin – ou autre chose?

— Tu n'as invité Desmond que pour m'embêter. Tu crois que j'allais te laisser parler de moi derrière mon dos?

Les yeux noirs de Miguel étincelèrent de joie, et elle comprit qu'elle venait de lui fournir une autre occasion de triompher.

— C'était donc ça qui t'inquiétait! Que je choque Desmond par quelque détail intime sur sa bien-aimée? Evidemment, le pauvre type doit penser que l'amour, ça se fait obligatoirement entre deux draps et dans le noir. S'il voyait où toi et moi...

— Assez! Ce qui s'est passé entre nous est fini, Miguel. Bien fini!

Il la saisit sans ménagement par le menton et l'obligea à le regarder en face.

— Ce ne sera jamais fini, *cara*. Même si on se séparait. Même si on ne se revoyait plus, ce ne serait pas fini.

— Ecoute, Miguel, j'aime Desmond...

— Comme c'est romantique! Et moi, tu ne m'as jamais *aimé*, bien sûr. C'était seulement du désir! Et de la colère, aussi, parce que tu étais furieuse d'avoir envie de moi. Et comme tu étais furieuse, tu t'es amusée à me tourmenter en t'affichant avec d'autres hommes!

Au lieu de protester comme elle en avait l'intention, Romina s'entendit dire :

– Et pourquoi pas? Tu en faisais autant avec d'autres femmes, Miguel.

– Mais un homme..., marmonna-t-il.

– Ah! Pour un homme, ce n'est pas la même chose? Quel principe commode quand on a la chance d'appartenir au sexe masculin!

– Tu crois donc à l'égalité totale des sexes?

– Bien sûr, affirma-t-elle sans se méfier. De nos jours...

– Pourtant, à la mort de mon père, tu voulais que je quitte la propriété parce que *tu* préférais vivre à Londres. Ta carrière avant tout, disais-tu. En ce temps-là, est-ce que ce n'était pas *toi* qui faisais un complexe de supériorité? Tu aurais pu continuer une carrière artistique ici – moins brillante, je te l'accorde. Mais tu as refusé tout compromis.

Romina était furieuse.

– Ce n'est pas seulement à cause de mon travail que je t'ai quitté! Tu le sais, Miguel. Toi et moi, nous n'étions pas assortis.

Il éclata d'un rire dur, incrédule.

– Il n'existe pas deux personnes au monde mieux assorties que nous. Je n'ai jamais rencontré une passion aussi tumultueuse chez une autre femme. L'attrait que nous éprouvons l'un pour l'autre est irrésistible. Et tu viens me raconter que nous ne sommes pas faits l'un pour l'autre!

Romina mourait d'envie de crier : « Et l'amour, dans tout cela? » Désir et passion, même intenses, n'étaient rien sans amour.

– L'attraction magique qui nous jette l'un vers l'autre est toujours là, *cara*. Depuis ton arrivée, chaque fois que je t'ai même seulement effleurée, je t'ai sentie trembler, comme avant. Ne parle plus de divorce. Redeviens ma femme.

– Non, Miguel.

– J'aurais dû te prendre l'autre nuit, à la Boa Vista. Tu verrais les choses différemment.

– Non, non... Je te détesterais, c'est tout.

– Arrête de répéter que tu me détestes.

– Mais je ne *veux* pas te détester, dit-elle avec sincérité. Je t'en prie, Miguel, laisse-moi partir, ne complique pas les choses. Est-ce qu'on ne peut se séparer bons amis, en conservant quelques souvenirs heureux?

Quelqu'un toussa discrètement derrière les tonneaux. Un homme âgé apparut, qui glissa quelques mots en portugais à l'oreille de Miguel.

– Ton petit ami se demande ce que nous devenons, Romina. Nous ferions mieux d'aller le rejoindre.

– Oui, soupira-t-elle, comme délivrée d'un énorme poids.

Desmond aurait eu des raisons de s'étonner de leur absence, mais le vin lui avait ôté tout soupçon.

– Ah, vous voilà! s'exclama-t-il gaiement. Dites donc, Miguel, fameuse, votre cave! Je suis tout à fait converti au madère.

– Auxquels vont vos préférences, mon ami? fit Miguel aimablement.

Desmond lui nomma un Malvoisie doux et richement ambré, un Boal demi-sec et un apéritif Sercial.

– Vous avez le palais sûr, Desmond. Ce sont mes trois crus les plus fameux.

Il se dirigea vers les rangées de bouteilles qui couvraient tout un mur et en choisit trois, chacune dans un écrin d'osier.

– Un petit cadeau à rapporter en Angleterre, Desmond. En souvenir de moi.

– C'est extrêmement gentil. J'avoue que je ne m'attendais pas à un tel accueil, Miguel.

– Vous vous imaginiez sans doute que Madère était peuplée de barbares? dit Miguel en riant. Mais soyons sérieux. Je vais vous promettre une chose à propos du divorce : je ferai de mon mieux pour satisfaire les désirs de Romina. Je lui dois bien ça!

– Tu entends ça, chérie? s'écria Desmond. C'est très honnête de votre part, Miguel.

« C'est Desmond qui est honnête, songea Romina, et même trop pour percevoir la petite pointe moqueuse derrière les propos de Miguel. » Elle avait envie de s'enfuir, de s'éloigner de ces vapeurs de vin qui lui montaient à la tête. Envie de respirer la brise fraîche, de se retrouver seule avec Desmond et de mettre de l'ordre dans ses pensées.

– Tu voulais te baigner ce matin, Desmond.

– On n'a plus assez de temps avant le déjeuner, chérie. Et il faudrait d'abord acheter des maillots.

– Pourquoi ne pas venir à la *quinta* cet après-midi? intervint Miguel. Il y a une piscine...

– Oh, je ne crois pas que..., protesta automatiquement Romina.

– Vicencia sera là. Et ne vous inquiétez pas pour les maillots! Je vous en prêterai un, Desmond. Quant à Romina, elle trouvera bien un ou deux maillots qui traînent dans la maison. Heu... Il arrive à ces dames de les oublier.

– Quelle bonne idée, approuva Desmond. Merci beaucoup, Miguel.

Ils retournèrent à l'hôtel à pied, Romina ayant refusé d'attendre un taxi dans sa hâte de s'éloigner de Miguel.

– Ton mari se met en quatre pour nous!

– Tu crois ça? Je n'ai pas la moindre confiance en lui.

– Tu ne serais pas un peu injuste, chérie?

– Mais comment donc! S'il m'a rendu la vie assez insupportable pour que je le quitte, c'est sans doute ma faute! explosa-t-elle, s'en prenant amèrement à Desmond.

– Tout ça, c'est du passé. Enfin, ça le sera bientôt. D'accord, votre union a été une erreur. Mais il fallait s'y attendre, étant donné tout ce qui vous sépare : la nationalité, la culture, la langue. Tout bien pesé, je ne suis pas pour les mariages mixtes.

Comme ils traversaient un petit pont enjambant un des nombreux torrents qui dévalaient de la montagne pour se jeter dans la mer, Romina dit soudain :

– Desmond, n'allons pas à la *quinta*. Trouvons un prétexte...

– Voyons, on ne peut pas faire ça, répondit-il en fronçant les sourcils. Surtout au moment où tout s'annonce si bien.

De retour au Majestic, ils montèrent se changer pour déjeuner. Seule dans le calme de sa chambre, Romina se laissa tomber sur le lit et contempla l'infini bleu du ciel et de la mer à travers la fenêtre. Son cœur était lourd de désespoir. En venant à Madère, elle avait espéré se libérer enfin de l'envoûtement subtil que Miguel avait exercé sur elle ces deux dernières années. Mais n'avait-il pas raison, cet homme énigmatique qui était encore légalement son mari? Réussirait-elle *jamais* à se libérer de lui, divorcée ou non, mariée à Desmond ou non?

Elle déjeuna sans appétit, se contentant de quelques bouchées de jambon, de dinde froide et d'un peu de salade. Puis elle se plaignit d'avoir la migraine et dit à Desmond qu'elle remontait se reposer un moment.

– Tu devrais prendre deux aspirines. Ça doit être tout ce soleil. On n'est pas habitués.

L'aspirine eut un effet soporifique, et elle glissa bientôt dans un bienheureux oubli. Elle s'éveilla en entendant frapper. C'était Desmond.

– Comment va la migraine, chérie?

– Oh, c'est presque fini, fit-elle, à demi somnolente, regrettant, mais trop tard, de perdre ainsi une précieuse excuse.

– Parfait! Un petit plongeon va te remettre en forme. Je t'attends en bas dans dix minutes. D'accord?

Romina n'avait plus qu'à s'exécuter. Ils prirent la route zigzagante, pour elle si familière, menant à la Quinta da Boa Vista. Quand il vit la grande maison blanche, Desmond se montra fort impressionné.

– Dis donc, que c'est beau! Ton mari doit mener grand train. Tu vas perdre beaucoup en m'épousant, chérie.

– Il y a longtemps que cela ne m'intéresse plus, répliqua-t-elle.

César, qui était apparu en entendant le taxi, les conduisit à la piscine. Romina s'aperçut qu'il la regardait à la dérobée. Il ne comprenait sans doute pas pourquoi elle n'habitait pas la *quinta*, et pourquoi elle y venait en compagnie d'un autre homme. « Miguel va bien être obligé d'expliquer la situation à son personnel. Plus il attendra, plus il aura l'air stupide. »

La piscine était située dans un décor idéal. Aménagée sur une terrasse, comme la plupart des jardins de Madère, elle était abritée sur trois côtés par une haie de fuchsias, des buissons de camélias et une rangée de cyprès. Le quatrième côté, bordé par un mur bas, offrait une vue splendide sur la ville aux toits rouges et les eaux lumineuses de la baie.

Miguel et Vicencia étaient déjà là, installés sur des chaises longues en osier. Romina dut admettre une fois de plus, avec un pincement de jalousie, qu'ils formaient un couple magnifique – tous deux grands et bronzés, avec des cheveux d'un noir dense aux reflets cuivrés. Miguel portait un maillot vert foncé qui mettait en valeur ses longues jambes et ses muscles déliés; le maillot une pièce noir de Vicencia, au décolleté plongeant, épousait son corps mince et voluptueux.

– Salut, vous deux! s'écria Miguel. Il faut vous changer tout de suite. Venez avec moi, Desmond... Romina, le vestiaire des dames est là-bas. Je t'ai trouvé un maillot, il t'y attend.

Les vêtements de Vicencia étaient étalés sur un

banc de la cabine. Sur un autre banc Romina vit un petit paquet simplement attaché avec de la ficelle, comme cela se pratique dans les boutiques de Madère. Ne découvrant rien autour d'elle qui ressemble à un maillot de bain, elle défit le paquet, perplexe. Elle découvrit avec effarement un bikini bleu plus qu'exigu. Deux minuscules bouts de chiffons arachnéens.

La première impulsion de Romina, furieuse, fut de refuser de le porter. Mais, en y réfléchissant, elle changea d'avis. Elle imaginait déjà l'ironie de Miguel devant sa réaction outragée, son amusement si l'incident provoquait un éclat entre elle et Desmond — lequel ne manquerait pas de la juger déraisonnable et impolie. Elle ôta donc jean et tee-shirt et passa le bikini. Osant à peine se regarder, elle se tourna vers une grande glace et l'image qu'elle y vit lui coupa la respiration. Miguel avait choisi avec un art consommé. Le bikini avait beau être minuscule, il avait dû coûter cher. Tout lui allait à la perfection, la forme comme le bleu recherché.

Le menton haut, elle sortit dans le soleil, décidée à ne rien laisser paraître de son embarras. Un long sifflement la fit se retourner. Desmond émergeait du vestiaire des hommes, moulé dans un petit maillot rouge qui avantageait sa solide silhouette.

— Ma parole, chérie, tu es fantastique!

Le sang lui monta aux joues, et elle se demanda comment elle pourrait s'empêcher de rougir davantage lorsque Miguel l'examinerait du même air admiratif.

— Mais, tu sais, reprit Desmond, légèrement mal à l'aise, je ne suis pas sûr que j'aimerais te voir porter ça en public. Je veux dire avec tout un tas d'hommes autour de toi. Ça pourrait leur donner des idées.

Romina faillit éclater de rire. Dans n'importe quelle piscine publique, consciente d'être lorgnée par des hommes, elle n'aurait pas éprouvé la gêne qu'elle éprouvait en ce moment – mais plutôt la satisfaction d'une femme qui se sait séduisante. Hélas! Desmond restait aveugle au sourd combat de volontés qui faisait rage entre Miguel et elle.

– Ah! Ce bikini te va, fit Miguel en la caressant du regard. Je savais bien que je n'avais pas oublié ta taille.

– Heureusement que nous sommes entre nous, observa Desmond. Comme je le disais à Romina, même pour un bikini, c'est un peu mini.

– Mini, mais très efficace, affirma Miguel. Romina a toujours été superbe en bikini.

L'attention que les deux hommes accordaient à Romina sembla contrarier Vicencia. D'un mouvement gracieux, elle gagna le bord de la piscine. Elle se haussa sur la pointe des pieds, les bras levés, assez longtemps pour être sûre que tout le monde la regardait. Puis elle effectua un plongeon parfait et se mit à nager le crawl en experte. Avec ses longs cheveux noirs flottant derrière elle, elle avait l'air d'une sirène.

Les autres sautèrent dans l'eau à leur tour. Romina, soulagée, s'y sentait à l'abri des regards. Après avoir nagé en rond un moment, elle s'accrocha au rebord de la piscine pour reprendre sa respiration. Miguel la rejoignit immédiatement sous le prétexte de repêcher une balle échouée dans les parages. Dans l'eau, sa main lui caressa délibérément les seins. Romina retint un gémissement.

– Ah, *minha cara*, si seulement nous étions seuls, lui murmura-t-il doucement à l'oreille.

Romina ne pouvait le repousser sans que les autres s'en aperçoivent.

– Garde donc tes amabilités pour Vicencia, s'étrangla-t-elle.

Les yeux de Miguel, jusqu'ici moqueurs, prirent la dureté de l'acier. Il s'apprêtait à lancer quelque sarcasme, lorsque Desmond cria à l'autre bout de la piscine :

– Eh, vous deux! Remuez-vous un peu! Cette balle, Miguel, ça vient?

Plus tard, en émergeant de l'eau, Romina s'aperçut que son bikini, une fois mouillé, ne laissait plus rien à l'imagination. Elle s'enveloppa hâtivement d'une serviette.

César apporta un grand plateau avec du thé et le traditionnel *bôlo de mel*, gâteau au miel, qu'ils dégustèrent en le rompant, selon la coutume.

Après cette pause, Vicencia retourna à sa chaise longue et offrit ses membres lisses à la chaleur du soleil.

Soudain, elle demanda :

– Dites-moi, Romina, quand pensez-vous vous remarier?

– Nous... nous n'avons encore rien décidé. Je... Je..., bégaya Romina, prise au dépourvu.

– Ce qu'elle veut dire, c'est que pour le moment, elle est toujours ma femme, intervint charitablement Miguel.

– Mais il n'y a plus que de simples formalités à régler, non?

Miguel se tourna vers Romina.

– Qu'en penses-tu, *cara*? De simples formalités?

– Quoi d'autre? répliqua-t-elle.

– J'épouserai Romina dès qu'elle sera libre, intervint Desmond.

– Comme vous vous emballez, Desmond! dit Miguel sans quitter Romina des yeux.

– Mais non, répondit-il plutôt embarrassé. Seulement, nous avons attendu assez longtemps, tu ne trouves pas, Romi?

– Absolument, affirma-t-elle en jetant à son mari un regard furieux. Trop longtemps, même!

Miguel se renversa sur sa chaise longue, les mains croisées derrière la tête.

– Encore un peu de patience, Romina. Tu vas bientôt réaliser tes plus chers désirs.

Vicencia, irritée d'être tenue à l'écart, dit avec un sourire provocant :

– Et les tiens, Miguel? Ils vont bientôt être exaucés, eux aussi?

– Sûrement. Au train où vont les choses, je sens renaître un espoir.

Il avait parlé à Vicencia, mais Romina eut l'impression très nette que ces mots s'adressaient à elle.

Quelques minutes plus tard, Vicencia annonça avec un regret visible qu'elle devait aller s'occuper du restaurant. Elle partit se changer au vestiaire. Elle réapparut, vêtue d'une robe de lin crème serrée par une ceinture de perles d'ambre. Elle s'arrêta derrière Miguel et posa la main sur son épaule nue.

– Je te vois ce soir, *querido*?

– Naturellement!

Miguel se leva tandis qu'elle faisait ses adieux – un petit signe de tête glacial pour Romina, un sourire aguichant pour Desmond – et la raccompagna jusqu'à sa voiture.

– Elle est terriblement séduisante, hein, Romi? chuchota Desmond.

– En effet, reconnut-elle sèchement. Dans le genre voyant.

Il lui jeta un curieux regard, mais se tut jusqu'au retour de Miguel.

– J'étais en train de dire à Romina que Vicencia est une femme époustouflante.

– Et qu'en pense-t-elle?

– Je suis d'accord, intervint Romina. Pour un homme, Vicencia doit être extrêmement attirante. Et elle le sait, ne put-elle s'empêcher d'ajouter.

– Mais quelle est la jolie femme qui n'a pas conscience de l'effet qu'elle produit sur un homme? demanda Miguel.

– Vicencia joue admirablement de ses charmes! s'écria Desmond avec enthousiasme.

Romina le considéra d'un œil sombre, et il s'empressa d'ajouter:

– Je veux dire, en tant que chanteuse. Ses *fados* sont tout à fait...

– Sensuels? suggéra Miguel.

– Ma foi, ça leur conviendrait assez...

Il y eut un long silence. Un petit oiseau, profitant de leur distraction, s'approcha du gâteau pour en picorer une miette. Desmond s'éclaircit la gorge.

– Heu... Pardonnez-moi, Miguel, mais nous nous demandions tous les deux si... si vous aviez l'intention d'épouser Vicencia.

– Qu'est-ce qui vous fait penser que j'aie envie de me remarier avec qui que ce soit?

– Oh... On pensait que cela allait de soi.

Miguel secoua la tête en souriant. « Qu'est-ce que signifie ce geste? songea Romina. Qu'il ne va pas se remarier, ou que cela ne nous regarde pas? »

– A propos du divorce..., reprit Desmond, nous devrions vraiment en parler. Voyez-vous, je rentre à Londres demain, et...

– Déjà? s'écria Miguel, l'air déçu.

– J'y suis obligé. Nous avons une réunion avec un nouveau client lundi. Mon absence serait très mal vue.

– Comme c'est dommage! fit Miguel, comme s'il le regrettait sincèrement. J'avais justement convenu d'un rendez-vous avec mon avocat lundi matin.

– Mais pourquoi faire déjà appel à un homme de loi? protesta Romina. Nous pourrions très bien nous arranger entre nous, dans un premier temps, et laisser les avocats se débrouiller après.

Miguel hocha la tête.

– Oui, mais tu sais ce que c'est, nous sommes des novices, on peut oublier un point capital, qui n'échapperait pas à un professionnel. Au reste, la présence d'un témoin neutre me semble particulièrement bienvenue dans ce genre de discussion, pour éviter les passions. Votre avis, Desmond?

– Vous avez tout à fait raison.

Romina fulminait intérieurement. « Desmond! Tu ne te rends pas compte que Miguel est en train de nous manipuler comme des marionnettes? » Et cependant, que pouvait-elle objecter à cette proposition si sage en apparence? Elle n'osait avouer à Desmond qu'elle était terrifiée à l'idée de succomber aux manœuvres séductrices de Miguel, une fois qu'il l'aurait laissée seule sur l'île. Desmond ne comprendrait jamais.

– Je dois rentrer moi-même demain, commença-t-elle.

– C'est ridicule, chérie, fit Desmond. Tu sais très bien que le patron t'a donné carte blanche. Tu peux rester aussi longtemps qu'il le faut.

– Ah, fit Miguel avec un regard de reproche, tu ne m'avais pas dit ça, Romina.

– Vous comprenez, poursuivit Desmond, John Barkwith tient beaucoup à ce que Romi règle cette histoire de divorce. Ça la tourmentait trop, dernièrement. Et son travail s'en ressentait.

– Je vois tout à fait, opina Miguel, jouant l'homme compréhensif. Alors, c'est d'accord. Je t'appellerai, Romina, pour te donner l'heure exacte du rendez-vous, lundi.

Il se leva, faisant jouer les muscles puissants de ses épaules.

– Que diriez-vous d'un dernier plongeon avant que le temps se rafraîchisse?

6

Desmond ne tenait pas du tout à rater son avion, le dimanche matin, et il arriva à l'aéroport longtemps à l'avance, en compagnie de Romina. Celle-ci avait du mal à entrer dans son bavardage insouciant à propos de leur avenir, leur avenir tant attendu de couple marié.

– Tu verras, chérie, disait-il avec optimisme. Tout ira très vite, maintenant. Avant même d'avoir dit ouf, nous serons en route pour Tokyo.

– Oui, répondit-elle d'un air absent.

– On va faire une de ces équipes! Le monde de la pub n'aura qu'à bien se tenir.

Son vol fut annoncé, et il dut la quitter pour présenter son passeport. Au moment des adieux, Romina s'accrocha farouchement à lui, ce qui sembla l'embarrasser légèrement.

– Eh! On se revoit dans deux jours à peine, chérie. Tu ne vas pas te mettre à pleurer?

– Desmond, je...

Les mots s'étouffèrent dans sa gorge, et elle ne sut jamais ce qu'elle avait été sur le point de formuler – un appel au secours venu du tréfonds d'elle-même, une quête urgente de réconfort.

– Allons, allons, dit-il, apaisant. Ecoute, il faut que j'y aille, chérie.

Il l'embrassa sur le front, saisit sa valise et s'éloigna.

– A mardi! s'écria-t-il par-dessus son épaule.

Romina regarda l'avion s'élancer dans le ciel, emportant l'homme qu'elle croyait aimer. Mais pourquoi éprouvait-elle ce curieux sentiment de soulagement, maintenant que Desmond était parti?

Une intuition fulgurante traversa son esprit. « Je n'aime plus Desmond, je ne l'ai jamais aimé. Si j'ai vu en lui un mari idéal, c'est seulement parce que tout l'opposait à Miguel. » Mais, à présent qu'elle avait vu les deux hommes côte à côte, elle savait qu'il était hors de question de l'épouser. Certes, Miguel l'avait rendue terriblement malheureuse, et leur vie commune ne lui avait donné que de brefs aperçus de ce que l'amour *pouvait* être – *aurait* dû être –, une émotion intense qui vous remplissait de joie. Et, si elle devait se remarier un jour, ce ne serait qu'à cette condition-là.

« Dès mon retour à Londres, je dirai à Desmond que nos fiançailles sont rompues. Il va sûrement se mettre en colère. Mais il finira bien par se faire une raison. J'espère qu'il ne me compliquera pas la vie au point de m'empêcher de rester à l'agence. »

Elle quitta l'aéroport très abattue, se demandant comment elle allait occuper la longue journée devant elle. Elle n'avait pas très envie de retourner à l'hôtel. Mue par une impulsion soudaine, elle demanda au taxi qui l'attendait de lui faire faire le tour de l'île, afin de revoir, sans doute pour la dernière fois, les endroits qu'elle avait visités avec Miguel.

Le chauffeur connaissait quelques mots d'anglais, suffisamment pour alimenter la conversation. Romina était monté à l'avant, afin de mieux voir le paysage. Quand, au premier virage, elle se retint au tableau de bord, il remarqua son alliance.

– Votre mari, oui... lui parti avion? Vous triste?

– Oh, non, dit-elle, confuse. Ce n'était pas mon mari. Je veux dire...

Le chauffeur haussa les épaules, montrant par là

que ses problèmes personnels ne le concernaient pas.

Le taxi dépassa les plantations de bananiers et de canne à sucre pour s'enfoncer entre les pins et les eucalyptus. A Camacha, Romina déjeuna d'un sandwich et d'un café, tandis que le chauffeur, assis au comptoir, avalait un repas plus substantiel arrosé de bière. Elle acheta ensuite, dans une boutique de souvenirs célèbre dans toute l'île, deux ou trois objets pour des collaboratrices de l'agence. Son cœur se serra à la vue d'une pile de canotiers. Miguel en avait un jour acheté deux pour eux – celui de Romina orné d'un coquet ruban rose, le sien du traditionnel ruban noir. Il l'avait porté légèrement rejeté en arrière, avec un air décontracté qui ne faisait qu'ajouter à son charme dévastateur.

Elle alla retrouver le chauffeur et s'écria :
– On y va?
– *Sim*, senhora, répondit-il en terminant hâtivement sa bière.

Ils reprirent la route tortueuse jusqu'au petit village de Monte. Les souvenirs l'assaillaient de partout. Elle y était venue avec Miguel, déjeuner dans la *quinta* d'un de ses amis; après quoi, ils avaient traversé un jardin magnifique jusqu'à l'église de Notre-Dame-de-la-Montagne, et admiré la tombe du dernier empereur Habsbourg, Karl, mort en exil. Juste au-dessous commençaient les fameux toboggans de Funchal, qu'on fait descendre aux touristes à une allure vertigineuse, dans des sortes de grands paniers d'osier. Romina en avait fait l'expérience, terrifiée et amusée à la fois Et puis, le bras de Miguel lui encerclait tendrement la taille...

Ils poursuivirent leur randonnée le long des pentes escarpées, dans un décor de plus en plus sauvage. A un moment, Romina descendit du taxi et s'approcha autant qu'elle osa le faire du bord d'un précipice protégé par une balustrade. A quelque mille mètres au-dessous se trouvait un village niché dans le cratère d'un volcan éteint. La vue était particulièrement spectaculaire.

– Aujourd'hui, une route descend vers ce village, avait expliqué Miguel. Mais, autrefois, il n'existait qu'un sentier rocailleux et impraticable. C'est pourquoi les nonnes du couvent de Funchal vinrent s'abriter dans ce village au XVIᵉ siècle, pour échapper à des corsaires français qui leur auraient fait certainement subir un sort « pire que la mort ». Le village s'appelle Curral das Freiras, le Coral des Nonnes.

Ils avaient contemplé les maisons et l'église miniature, et, au milieu, le ruban argenté d'un ruisseau. Dans ce lieu paisible, disait Miguel, on vit souvent centenaire.

– Un paradis..., avait murmuré Romina.

Mais la voix de Miguel, soudain dure, avait arraché Romina à son rêve.

– Ils ont leurs problèmes. Comme nous.

Sa réflexion trahissait une rancœur jalouse envers quiconque pouvait connaître ce bonheur de vivre qui lui échappait. Cette nuit-là, quand il l'aima, ce fut avec sa brutalité coutumière qui, aux yeux de Romina, était la négation même de l'*amour*.

Romina se détourna enfin du précipice et rejoignit le taxi d'un pas vacillant.

– Rentrons à Funchal, dit-elle d'une voix blanche.

De retour à l'hôtel, elle se fit monter du thé dans sa chambre. Le liquide brûlant lui donna un coup de fouet. Elle décida de prendre un long bain, de dîner tranquillement au restaurant de l'hôtel et de se coucher de bonne heure. Elle était si lasse qu'elle était sûre de s'endormir dès que sa tête toucherait l'oreiller.

Juste à ce moment, le téléphone sonna. Elle regarda l'appareil, un curieux picotement au creux de l'estomac. Ce ne pouvait être que Miguel. Il avait promis de lui confirmer l'heure du rendez-vous avec l'avocat.

— Allô...

— Ah, ce n'est pas trop tôt! s'écria la voix familière. Où diable étais-tu toute la journée?

— Pourquoi cette question?

— Je t'ai appelée pendant des heures. Tu aurais dû rentrer de l'aéroport à temps pour déjeuner.

— J'aurais dû? Je n'ai pas d'obligations, que je sache, rétorqua Romina. Ce que je fais de mon temps ne regarde que moi... A vrai dire, je me suis offert une promenade touristique.

— Touristique ou nostalgique? Tu t'es rappelé le bon vieux temps?

— Je cherchais seulement à me distraire.

— Tu aurais pu le faire, et bien mieux, en ma compagnie! Tu as fichu tous mes projets en l'air, est-ce que tu te rends compte?

— Tu ne m'avais pas parlé de projets! De toute façon, je n'aurais pas voulu.

— Comment peux-tu dire ça, tu ne sais même pas de quoi il s'agissait.

— J'aurais dit non quand même, Miguel. Mets-toi bien ça dans la tête, je ne veux plus te voir, si ce n'est pour discuter affaires.

— Je pensais te faire plaisir. Maintenant que nous sommes débarrassés de Desmond...

— Desmond ou pas, cela ne fait aucune différence! s'écria-t-elle, furieuse.

— Allons, allons, fit Miguel. Ce n'est vraiment pas une chose à dire en parlant de l'homme que tu aimes, de l'homme que tu vas épouser.

Elle faillit annoncer qu'elle avait décidé de rompre ses fiançailles avec Desmond. Mais c'eût été une folie. Après cela, jamais Miguel n'accepterait le divorce. Elle respira profondément.

— Tu sais très bien ce que je veux dire, Miguel.

— Je n'en suis pas si sûr. Tu as l'air... troublée. Mais ça se comprend, tu viens de dire adieu à ton amant. C'est bien le moins que j'essaie de te remonter le moral!

— Merci, mais je m'en passerais!

Il y eut un petit silence, puis :

– Romina, pourquoi tu as si peur de me voir?

– Je n'ai pas...! commença-t-elle, mais elle se reprit, constatant qu'elle parlait d'une voix surai-guë.

– Dans ce cas, enchaîna aussitôt Miguel, tu ne peux pas refuser de dîner avec moi ce soir.

– Non, c'est hors de question.

– Mais pourquoi? Tu as déjà rendez-vous?

– Bien sûr que non! Je... J'ai eu une journée fatigante, et je voudrais me reposer.

– Mais je suis parfait pour ça, *cara*! Je vais venir à l'hôtel, et...

– Oh, non! explosa-t-elle. Ça suffit, Miguel.

– Enfin, Romina, le jour de ton arrivée, c'est toi qui voulais que je vienne dîner à l'hôtel.

– C'est différent, maintenant.

– Et pourquoi?

Romina poussa un soupir excédé.

– Miguel, nous n'allons pas discuter jusqu'à demain. Dis-moi seulement à quelle heure on voit l'avocat et fiche-moi la paix.

– Je n'en sais rien encore. Mais je te mettrai au courant en temps voulu.

– C'est ça, dit-elle. Et jusque-là... au revoir.

– *Até a vista*! murmura-t-il doucement.

Romina fit enfin couler son bain. Elle se déshabilla, tordit ses longs cheveux en chignon et se glissa dans la baignoire. Le contact de l'eau fit fondre tension, colère et contrariétés. Elle se savonna et se rinça paresseusement, tandis que la vapeur transformait la salle de bains en cocon brumeux et confortable. Quand elle émergea enfin de la baignoire, elle se sentait neuve de corps et d'esprit. Demain, la conclusion de son malheureux mariage serait en bonne voie. Après cela, ce serait à elle de tirer le meilleur parti de son avenir. Avec de la chance, elle trouverait peut-être un jour le bonheur.

Elle s'enveloppa d'un grand drap de bain blanc et

douillet... et s'arrêta net sur le seuil de sa chambre. Miguel, sa veste de sport sur l'épaule, se tenait debout près de la fenêtre.

— Oh! La jolie petite poupée toute rose et toute propre, fit-il en la déshabillant du regard. Tu veux que je te frotte le dos?

Romina eut du mal à retrouver sa voix.

— Comment oses-tu pénétrer ici, Miguel? Comment... comment as-tu fait? La porte était fermée.

— Les femmes de chambre ont toutes un passe.

— Je vois! Et tu as acheté une de ces filles?

— Je n'en ai pas eu besoin. J'ai dit que ma femme prenait un bain et qu'elle n'avait pas dû m'entendre frapper. Elle s'est montrée très coopérative quand je lui ai expliqué...

— Expliqué quoi? demanda Romina en resserrant son drap de bain.

— La vérité, Romina. Rien que la vérité.

— Quelle... Quelle vérité? balbutia-t-elle.

— Je lui ai raconté que nous nous étions disputés bêtement, *cara*. Et que j'essayais d'arranger les choses. Elle a trouvé ça très romanesque.

— Miguel, je... je croyais que nous en avions fini avec ces histoires ridicules. Qu'est-ce... Qu'est-ce que Vicencia penserait de ton comportement?

— Vicencia n'est pas là, dit-il en haussant les épaules.

— Et cela te donne le droit de tricher derrière son dos? Si tu l'aimes vraiment...

— Tu as un peu trop souvent ce mot à la bouche, ma chère. Est-ce que tu crois *aimer* ton Desmond?

Elle hésita un bref moment.

— Naturellement.

— L'amour! Drôle de sentiment qui te permet de trembler dans les bras d'un autre! Comme hier dans la piscine, sous le nez même de Desmond, quand je t'ai à peine effleurée?

— Oh! Je te méprise!

— Encore un de tes mots favoris, se moqua-t-il.

Mais peut-être que tu *aimes* mépriser tes hommes – d'affreux séducteurs qui font l'amour à la pauvre petite Romina contre sa volonté. Tu as peut-être besoin d'être la victime non consentante, et non l'instigatrice, pour prendre du plaisir...

– Assez!

– Est-ce que Desmond doit faire semblant de te séduire chaque fois? poursuivit-il impitoyablement.

– Desmond est un homme pudique, non un affreux libertin comme toi. Il ne lui viendrait même pas à l'idée de... de...

– Je vois! Alors, tu es obligée de chercher satisfaction ailleurs.

– C'est faux, gémit-elle. C'est faux!

– Cela ne m'étonne plus que tu t'enflammes quand je te touche. Si je devais te prendre ici même, maintenant – et ce serait facile –, comme tu lutterais! Comme tu la jouerais bien, ta petite comédie, alors que tout ton corps réclame mon amour! Mais pourquoi, moi, j'encouragerais tes instincts pervers? ajouta-t-il, la mâchoire serrée.

Romina le dévisagea à travers ses larmes. Il semblait immense et menaçant, une créature monstrueuse prête à la dévorer.

– Eh bien, Romina? dit-il d'une voix dure.

– Que... Que veux-tu que je dise? murmura-t-elle. Qu'est-ce que tu attends de moi?

– Un peu d'honnêteté! C'est trop exiger? L'honnêteté, tu connais?

– J'ai toujours été honnête envers toi, protesta-t-elle faiblement.

– Menteuse!

– Je t'ai menti, moi? Tu peux me citer une seule occasion...?

– Pas une... mille, dit-il avec mépris. Par exemple, tu as menti à ton Desmond. Tu lui as fait croire que notre mariage était une erreur désastreuse, un véritable naufrage.

– Ce n'est pas le cas?

Au lieu de répondre, il demanda :

– Aimerais-tu que Desmond apprenne quelques détails intimes sur notre vie commune ? Que penserait le cher homme, s'il avait accès au plus secret de ton âme ?

Elle tenta de lancer un rire méprisant, sans grand succès.

– Je suis surprise que tu n'aies pas tenté de régaler Desmond de morceaux choisis sur notre vie privée. Tu t'y entends pour rendre tout dégoûtant...

– Dégoûtant ? Mais pas du tout, n'est-ce pas, chérie ?

La minute de vérité, se dit Romina. Mais cette vérité, elle refusa de la regarder en face.

– Ce... Ce n'était que de la sexualité, balbutiat-elle. Une sexualité abjecte ! Une réponse instinctive à une force primitive, animale. Je n'essaie pas de nier, Miguel. Tu possèdes le genre de magnétisme auquel aucune femme normale ne résiste. Voilà, ton orgueil de mâle arrogant est satisfait ?

Les yeux étincelants de colère, il sauta sur elle comme un tigre sur sa proie. Avant qu'elle ait eu le temps de lui échapper, il arracha le drap de bain. Elle se mit à lui marteler la poitrine de ses poings serrés, mais il la souleva sans effort, la jeta sur le couvre-lit de satin et se laissa tomber sur elle, lui meurtrissant la bouche d'un baiser brutal.

Romina sentit qu'elle le haïssait. Et, malgré tout, ses mains brûlaient de parcourir son corps de caresses comme lui la caressait, faisant monter en elle un désir de plus en plus intense, la forçant à gémir, à implorer de tout son être l'ultime satisfaction.

Tout à coup, Miguel s'écarta d'elle. Elle tenta instinctivement de le retenir, mais il se releva inexorablement, haletant, la fixant de ses yeux brillants.

– Une sexualité abjecte... c'est donc tout ce que cela signifie pour toi, Romina ?

Elle fut parcourue d'un frisson glacé et retrouva un semblant de raison.

– Que veux-tu que je te dise? fit-elle en tremblant. Que je suis ton esclave, Miguel? C'est ça que tu veux entendre? Que tu es le seul homme qui a jamais pu – ou pourra jamais – me réduire à... cet état d'écœurante soumission?

– Combien d'*autres* hommes y a-t-il eus? grinça-t-il. Tu ne me l'as jamais avoué, et ce doute m'a toujours torturé. Mais maintenant, enfin, tu peux me dire la vérité.

Ses doigts se refermèrent sur la gorge de Romina qui suffoqua.

– Tu *vas* me dire la vérité!

Elle n'avait pas peur de lui. Si ses doigts d'acier devaient resserrer leur étreinte – il semblait animé d'une rage meurtrière –, que cela se fasse vite! Elle ne s'en souciait plus.

– Va-t'en, Miguel, dit-elle, tout étonnée du calme de sa propre voix. Tu peux penser ce que tu veux de moi... cela m'est égal.

Les doigts se crispèrent davantage, elle ouvrit la bouche pour chercher de l'air.

– Sorcière! cria-t-il. Tu me joues encore ta comédie. Très bien, nous la jouerons ensemble. Proteste tant que tu le veux, mais je finirai par te « séduire », comme tu aimes à le penser. Et quand ce sera fini, tu pourras toujours prétendre que cela ne signifie rien pour toi.

– Miguel, pour l'amour de Dieu, lâche-moi!

Elle fit une tentative désespérée pour se dégager, mais il la maintenait clouée sur le lit.

– Ah! ricana-t-il. Ça recommence, la fausse résistance, les supplications, les mensonges.

Il l'embrassa de nouveau, d'un baiser sauvage et passionné. Romina sentit aussitôt son corps se tendre vers le sien, sa sensualité traîtresse se réveiller. Elle chercha frénétiquement un moyen de combattre. Lutter, résister ne feraient qu'attiser le désir de Miguel – il croirait encore au jeu macabre qu'il lui prêtait. D'un autre côté, laisser parler son corps et ses désirs – comme l'aurait voulu son instinct – était méprisable, c'était la négation de tout ce qu'elle tenait pour sacré. Il ne lui restait plus qu'une issue, si elle s'en montrait humainement capable. Rester là, inerte et consentante, et prouver à Miguel combien il se trompait.

Le jeu érotique de Miguel se poursuivait, familier. Ses mains exploraient, caressaient, taquinaient la peau douce. Et Romina restait sans mouvement, se demandant avec désespoir combien de temps se prolongerait cette délicieuse agonie.

C'est alors que le téléphone sonna. Miguel s'immobilisa.

– Qui diable cela peut-il être?

– Comment veux-tu que je le sache? répondit-elle d'un ton las.

– Il vaudrait mieux que tu répondes, marmonna-t-il.

Il roula sur le côté et Romina s'assit. Honteuse de sa nudité, elle ramassa d'abord le drap de bain qui gisait sur le sol et s'en couvrit les épaules.

– Allô?

Le son de sa voix lui parut étrange, rauque.

– Allô, vous êtes bien, heu... Mme da Milaveira?

C'était une foix féminine, anglaise, mais Romina ne la reconnaissait pas.

– Oui, c'est moi-même.

– Ah, tant mieux! J'espère que je ne vous dérange pas, ma chère, mais... je suis Phoebe Walters... Nous avons bavardé une ou deux fois pendant le petit déjeuner.

– Mais bien sûr. Que puis-je faire pour vous, madame Walters? dit-elle en ignorant le froncement de sourcils inquisiteur de Miguel.

– Eh bien, Gilbert et moi, nous savons que vous avez raccompagné votre fiancé à l'aéroport ce matin, et nous pensions que vous étiez peut-être seule ce soir. Vous ne voulez pas dîner avec nous?

Romina était sur le point de refuser avec une excuse polie, mais elle aperçut une planche de salut.

– Oui, cela me ferait très plaisir, madame Walters. Merci beaucoup.

– Parfait. On vous attend dans une demi-heure, au restaurant.

Comme elle raccrochait, Miguel demanda :

– C'est qui?

– Oh, une cliente de l'hôtel. Elle m'invite à dîner avec son mari.

– Tu as accepté? s'écria-t-il. Qu'est-ce qui t'a pris?

– Pourquoi refuser? Ils sont très gentils.

– Je m'en moque! fit-il en bondissant sur ses pieds et en enfouissant les pans de sa chemise dans son pantalon. Tu dînes avec moi.

– C'est absurde. Tu ne crois tout de même pas que je vais accepter, après...

– Après quoi? se moqua-t-il, toute son assurance retrouvée. Il ne s'est rien passé. Pas la peine de prendre un air si indigné.

– Tu appelles ça *rien*!

– Nous n'avons joué que le prélude, mon amour. Alors, rappelle cette femme et annule le dîner.

– Jamais de la vie!

– Bien, je vais m'en occuper, annonça-t-il en saisissant le téléphone. Comment s'appelle-t-elle? Mme Walters?

Romina lui arracha l'appareil des mains et raccrocha.

– Miguel, ne te mêle pas de ça. Je dîne avec eux, un point, c'est tout.

Miguel alla nonchalamment cueillir sa veste qui, restée sur le lit, était plutôt froissée.

– C'est bien ce que tu veux, *cara*? Alors, je n'insiste plus. *Até a vista.*

Romina éprouva un soulagement extrême.

– Tu n'oublieras pas de me dire, pour demain? L'heure du rendez-vous avec ton avocat.

Miguel se retourna et lui sourit aimablement, sans plus aucune trace de passion.

– Bien sûr, je te tiens au courant.

Sa méfiance toujours en éveil, elle courut fermer la porte à clé derrière lui, les jambes tremblantes. Elle n'avait pas envie de dîner avec qui que ce soit, elle ne pensait plus qu'à s'effondrer sur le lit et à s'abandonner à l'immense lassitude qui l'envahissait tout entière. Mais comment trouver le repos, avec l'image de Miguel encore si vivante, si troublante... ses lèvres, ses mains, la dure pression de son corps viril. « Non, mieux vaut m'habiller et descendre; je pourrai toujours faire semblant de m'intéresser à la conversation. Cela me changera les idées, une heure ou deux. » Après cela, son tourment intérieur se ferait peut-être moins douloureux, pour ne pas dire supportable.

Romina vit Phoebe Walters lui faire de grands signes énergiques. Elle alla rejoindre le couple.

– Bonsoir, ma chère. Vous connaissez mon mari, Gilbert, fit Mme Walters en la dévisageant de ses doux yeux gris. Mon Dieu, vous avez l'air toute retournée! Mais c'est normal. Combien de temps allez-vous rester séparés?

– Pardon? balbutia Romina qui ne comprenait pas.

– Vous et votre fiancé. Vous le rejoignez quand?

Romina rougit, se demandant s'il fallait expliquer la situation à cette brave femme. Décidément, c'était trop compliqué.

– Je revois Desmond dans deux jours.

Elle prit place à leur table, et tous trois se plongèrent dans l'étude de la carte, abondante et raffinée. Soudain, une haute silhouette vêtue d'un impeccable complet gris se dressa derrière Romina.

– Tiens, bonsoir, Romina! Je ne te croyais pas avec des amis. J'avais l'intention de t'inviter à dîner.

Elle se retourna en tressaillant et rencontra le regard moqueur de Miguel. Déjà, Gilbert Walters se levait pour se présenter.

– J'espère que nous n'avons pas dérangé vos projets, monsieur... heu...?

– Miguel da Milaveira.

Phoebe leva des yeux surpris.

– Da Milaveira? Mais c'est le nom de Romina.

Il n'y avait plus trace de moquerie dans le sourire que Miguel lui adressa. C'était un sourire destiné à gagner le cœur de n'importe quelle femme.

– Rien d'étonnant, madame Walters. Romina est ma femme.

7

Il y eut un long silence embarrassé. Puis Gilbert Walters s'éclaircit la gorge.

– Voulez-vous vous joindre à nous, monsieur da Milaveira? Nous en serions certainement tous ravis.

Ravis? Romina était tout à fait contre. Mais elle n'eut pas le temps d'ouvrir la bouche.

– J'accepte avec plaisir, si vous n'y voyez vraiment pas d'inconvénient.

Un serveur apporta une chaise, et il s'installa sans plus attendre.

– Franchement, reprit Miguel qui paraissait soudain plus jeune et plus vulnérable que d'ordinaire, je doute que cela fasse très plaisir à Romina. Vous comprenez, ajouta-t-il, d'un air faussement candide, nous sommes en plein désaccord, tous les deux. N'est-ce pas, chérie?

Elle lui lança un regard noir, désespérant de trouver une issue à la situation. Quant aux Walters, en dépit de leur gêne, ils étaient visiblement très intéressés.

Jouant nerveusement avec sa cuiller, Phoebe hasarda :

– Je ne voudrais pas me mêler de ce qui ne me regarde pas, mais..., enfin, vous savez...

– Ce que Phoebe veut dire..., commença son mari, et il s'arrêta tout aussi lamentablement.

Romina retrouva enfin sa voix.

– Miguel, le moment est mal choisi pour agiter nos problèmes personnels.

– Bien sûr, chérie, dit-il d'un ton condescendant. Mais avoir deux personnes aussi sympathiques que M. et Mme Walters comme arbitres, cela me paraît très utile.

Heureusement, le serveur, impatient de prendre la commande, créa une diversion. Romina étant hors d'état de choisir, Miguel s'empressa de décider pour elle, affirmant qu'elle raffolait de tel et tel plat.

– Voici où nous en sommes, reprit-il après le départ du serveur. Romina et moi, nous nous sommes mariés en Angleterre. A l'époque, je dirigeais la succursale londonienne de l'entreprise de mon père, les vins Milaveira. Mais, à sa mort, j'ai dû rentrer à Madère prendre la succession, et Romina n'a pas voulu abandonner sa carrière de dessinatrice.

– Miguel, vraiment! protesta-t-elle en rougissant.

Il saisit sa main dans la sienne. Un geste tendre pour des yeux non avertis, en réalité une étreinte d'acier.

– Chérie, je n'ai pas l'intention de te noircir devant nos amis, dit-il gentiment. Il serait tout à fait normal, à notre époque d'émancipation, d'accorder la même importance à ta carrière qu'à la mienne. Mais tu sais bien que la situation n'était pas si simple. Voyez-vous, monsieur et madame Walters, je suis le dernier des Milaveira, il ne reste que moi pour perpétuer la tradition familiale. Je n'allais pas barrer d'un trait l'œuvre de sept générations... et tout abandonner à des mains étrangères!

– Comme je vous comprends! approuva Phoebe. C'est notre garçon, Steve, qui doit assurer la relève de son père à la tête de notre imprimerie quand le moment sera venu. S'il en était autrement, Gilbert en aurait le cœur brisé, avec tout le mal qu'il s'est donné pour monter son affaire.

– Mais il n'y avait pas que ça! s'écria Romina, toujours incapable de dégager sa main.

– Je sais, je sais, chérie. Il y a aussi que je suis loin d'être un mari parfait.

Ce dernier aveu n'avait visiblement pas convaincu Phoebe Walters. « Naturellement, songea Romina amère, elle prend parti pour Miguel. »

– Si nous pouvions repartir de zéro, poursuivit-il d'un air sincère, je suis sûr qu'en y mettant chacun du sien, tout finirait par s'arranger.

– Y mettre du sien! explosa Romina. Je n'ai fait que ça!

– Bien sûr, chérie. Mais il faudrait en faire un peu *plus*. Je veux dire toi et moi. Voyez-vous, chers amis, fit-il d'un air affligé, cela fait plus de deux ans que nous sommes séparés. Mais je n'ai jamais cessé d'espérer une réconciliation. J'ai toujours refusé d'admettre que tout fût fini entre nous. Or, voilà que Romina demande le divorce. N'est-ce pas un terrible constat d'échec, alors que nous avons tant d'atouts pour nous?

Romina, désespérée, songea un instant à se retirer. Mais elle n'avait pas envie de sembler reconnaître ainsi sa propre culpabilité.

– C'est sans doute ce qui explique... l'autre homme, murmura Phoebe en rougissant, comme si elle avait dit quelque chose d'écœurant.

Elle se tourna vers Romina, l'air suppliant :

– Ne faites pas ça, ma chère. Je suis peut-être indiscrète, mais il suffit de vous regarder tous les deux, et comment vous vous tenez la main. Il est clair que vous êtes toujours amoureux l'un de l'autre, en dépit de tout.

– Mais vous vous trompez! protesta Romina.

Elle tira farouchement sur sa main, et, à sa surprise, Miguel ne la retint pas. Gilbert Walters parut soudain se réveiller.

– Je serais étonné que Phoebe se trompe, mon petit. C'est une romantique incurable, mais elle possède un instinct hors pair pour ces choses-là!

Le serveur arriva avec les entrées, et Romina considéra, effarée, l'énorme portion de pâté dans son assiette. Elle fut presque reconnaissante à Miguel de déclarer :

– Nous pardonneriez-vous si nous quittions la table? Je sais que c'est terriblement mal élevé, mais, vraiment, ni l'un ni l'autre nous ne pourrions avaler quoi que ce soit en ce moment.

– Mais je vous en prie! s'écria Gilbert. Emmenez Romina dans un endroit tranquille et parlez-lui à cœur ouvert.

– Absolument! renchérit sa femme en souriant. C'est toujours mon avis : lorsqu'un couple prend le temps de se regarder face à face et d'analyser ses problèmes sans s'énerver, ceux-ci disparaissent comme par magie.

– Je suis tout à fait touché de votre compréhension. Monsieur Walters, murmura-t-il à l'intention de ce dernier, laissez-moi régler l'addition...

– Je ne veux pas en entendre parler! s'exclama jovialement Gilbert. Tâchez de vous réconcilier avec votre jolie petite femme, et nous en serons largement récompensés. N'est-ce pas, Phoebe, ma chérie?

Se confondant en remerciements, Miguel emmena Romina en la tenant fermement par le bras dans un petit salon attenant à la salle à manger, et désert à cette heure.

– Où veux-tu en venir? l'accusa-t-elle avec fureur dès qu'ils furent seuls. Tu as dû bien t'amuser en me faisant jouer ce rôle d'idiote!

– Je n'ai fait que dire la vérité.

– Une vérité complètement défigurée! Et cette façon de déballer notre vie devant eux! Et puis, qui t'a permis de t'imposer, qui t'a demandé de t'asseoir à notre table?

– Mais on m'y a *invité*! Et le restaurant du Majestic est ouvert à tout le monde.

– M. Walters ne pouvait pas faire autrement sans paraître mal élevé.

Miguel ignora l'argument.

– Ils sont très gentils, ces gens-là, tu ne trouves pas?

– Très, en effet! C'est pourquoi je me sens d'autant plus gênée.

– Tu as tort! Ils sont tous les deux persuadés de nous avoir aidés à nous réconcilier, et ils en sont ravis.

– Je leur ôterai vite cette idée! marmonna-t-elle.

– Tu ne feras que les gêner à leur tour.

Romina ferma les yeux, submergée par un sentiment de défaite.

– Va-t'en, Miguel, articula-t-elle d'une voix tendue. Fiche-moi la paix!

– Je n'ai pas l'intention de te laisser seule dans cet état d'esprit. Tant que tu es ma femme et que tu es à Madère, j'ai des responsabilités envers toi. Alors, il vaut mieux envisager la perspective de passer la soirée avec moi.

– Je vais monter dans ma chambre, dit-elle imprudemment.

– Pourquoi pas, si c'est là que tu préfères!

Romina s'effondra dans un fauteuil, ne sachant plus très bien comment redresser la situation.

– Miguel, commença-t-elle, tu ne comprends pas que ta conduite te rend de plus en plus détestable et que je suis maintenant tout à fait résolue à obtenir immédiatement le divorce?

– Mais je croyais que tu avais déjà pris cette décision avant de venir à Madère. En fait, il te restait un petit doute?

Prise de court une seconde, elle se rattrapa et affirma avec emphase :

– Certainement pas! D'ailleurs, même si je ne voulais pas épouser Desmond, je tiendrais quand même à me séparer de toi, Miguel.

– Ma chère Romina, tu es vraiment une énigme – même pour une femme. Tu veux te débarrasser de moi, et tu n'arrêtes pas de me prouver le contraire chaque fois que je t'approche...

– C'est bien fini! dit-elle en s'accrochant au souvenir de sa brève victoire, quand elle avait réussi à rester impassible dans les bras de Miguel, avant le dîner. (Mais est-ce que j'aurais tenu longtemps si le téléphone n'avait pas sonné?)

» S'il m'est arrivé d'être faible, poursuivit-elle en redressant les épaules, c'est terminé. Tu peux laisser tomber tes petites manœuvres de séduction, Miguel. J'y suis insensible.

L'affirmation était un peu risquée, et elle s'attendait aux pires railleries. Mais Miguel prit au contraire un ton conciliant.

– D'accord. Puisque mes charmes te laissent de bois, je vais être obligé de modifier mes projets pour ce soir... Ecoute, nous allons jouer à un petit jeu. Faisons semblant d'être des étrangers. Nous avons été présentés l'un à l'autre il y a un instant par un gentil couple, les Walters. Tu arrives en vacances à Madère, et moi... je suis le célibataire qui sait reconnaître une jolie fille au premier coup d'œil.

Romina écarquilla les yeux.

– Où comptes-tu en venir?

– Je te l'ai dit, nous devons passer la soirée ensemble, pourquoi ne pas en faire un moment agréable?

– Et tu crois que je vais m'amuser?

– Pourquoi pas? (Miguel prit un air peiné.) Autrefois, tu te plaisais avec moi. Tu te souviens de notre première rencontre, quand je t'ai invitée à déjeuner?

– C'était différent. Je ne te connaissais pas.

– C'est bien pour cela que je te propose ce petit jeu, fit-il patiemment. On repart de zéro. On ne sait rien l'un de l'autre. C'est drôle, non?

Romina secoua la tête.

– Avec toi, rien n'est jamais drôle.

Mais elle se sentait curieusement tentée d'entrer dans le jeu, de vivre une soirée avec Miguel en larguant les attaches du passé, en oubliant les mauvais souvenirs.

– Je t'en prie, essayons, fit-il, câlin, tout en la contemplant avec intensité.

– Bon... Eh bien, si j'accepte, Miguel, dit-elle lentement, il faut que tu me promettes... de ne pas essayer... Tu sais ce que je veux dire.

– Je t'en donne ma parole d'honneur. Mes mains baladeuses resteront dans mes poches, je t'en donne ma parole d'honneur!

– Comment puis-je en être sûre?

Il parut sincèrement indigné.

– Est-ce que j'ai jamais manqué à ma parole?

– Tu ne me l'as encore jamais donnée.

– Je suis sérieux.

Il la saisit par les épaules et la fixa droit dans les yeux. Aussitôt, Romina se sentit toute faible.

– Très bien, fit-elle en s'efforçant de garder une voix neutre. Alors, autant commencer tout de suite. Tu peux me lâcher, Miguel.

Il continua de la regarder un moment, comme s'il essayait de lire dans ses pensées. Puis, avec un petit rire, il laissa retomber les mains.

– Mademoiselle Gilmour, que diriez-vous de faire un tour au bar? Le pianiste est de première classe.

Il s'inclina devant elle et lui offrit cérémonieusement le bras, qu'elle prit avec une seconde d'hésitation.

– Volontiers, senhor da Milaveira. Un verre me ferait le plus grand bien.

Elle s'efforça de maîtriser les battements de son cœur tandis qu'ils traversaient le grand salon et pénétraient dans le bar, une pièce intime et douillette à l'éclairage tamisé. Sa main, posée sur le bras de Miguel, percevait la chaleur de celui-ci, la fermeté des muscles sous la chemise. Miguel choisit une banquette dans une alcôve, légèrement à l'écart des autres consommateurs. Il commanda une vodka-orange pour elle et un whisky pour lui. Le pianiste était effectivement excellent; pour le moment, il jouait un pot-pourri d'airs de Cole Porter.

Miguel sirota une gorgée de whisky, une lueur joyeuse dans l'œil.

— Dites-moi, mademoiselle Gilmour, dans quel quartier habitez-vous à Londres?

La vodka la calmait, la mettait à l'aise.

— J'ai un petit appartement à Bayswater, pas loin de Hyde Park. Une grande pièce avec une kitchenette et une salle de bains.

— Comme c'est charmant! Et vous le partagez avec quelqu'un?

— Non, avec personne, senhor da Milaveira.

— Appelez-moi Miguel, je vous en prie! Et puis-je vous appeler Romina? C'est un très joli prénom.

— Si vous voulez. Et, heu... où habitez-vous, Miguel?

— Oh, ici, à Funchal. J'ai une maison, nous appelons ça une *quinta*. Elle appartient à ma famille depuis des générations. C'est une grande maison... beaucoup trop grande pour une personne seule, ajouta-t-il tristement.

— Peut-être trouverez-vous vite quelqu'un pour y habiter avec vous, fit-elle d'une voix suave.

— Ça, Romina, répondit-il en la regardant au fond des yeux, c'est mon plus cher désir.

Ils étaient sur une pente dangereuse, et Romina changea de sujet.

— Parlez-moi de votre travail, Miguel. Vous êtes dans le commerce du vin, je crois?

— Oui, les vins Milaveira. Une vieille entreprise familiale qui remonte au milieu du XVIIIᵉ siècle. Hélas! J'en suis le dernier et unique propriétaire... après moi, personne.

Elle avala une gorgée de vodka.

— Ne devriez-vous pas remédier à ce petit inconvénient au plus vite?

— Pour remédier à ce petit inconvénient, comme vous dites, il faut être deux!

– Pour un homme comme vous, cela ne paraît poser aucun problème!

– Détrompez-vous! Vous ne vous imaginez pas le mal que je me suis donné! La dame en question est incroyablement têtue.

– Miguel! protesta-t-elle.

– Qu'est-ce qui se passe? Je croyais qu'on jouait!

Il fit signe au barman de remplir à nouveau leurs verres et reprit :

– J'essayais de rendre un peu jalouse la femme délicieuse que je viens de rencontrer...

– Tu parles!

Miguel lui jeta un regard paresseux entre ses paupières à demi fermées.

– Mais voyons plutôt si *vous* pouvez *me* rendre jaloux. Parlez-moi des hommes de votre vie. Il y en a beaucoup, ou il y a quelqu'un en particulier?

– Tu ne respectes pas les règles! protesta-t-elle de nouveau.

– Tu as raison, ce n'était pas loyal, concéda-t-il avec un petit sourire. Parlez-moi plutôt de votre travail.

– Oh! rien d'extraordinaire. Je suis dans la publicité, une modeste dessinatrice.

– Ne vous sous-estimez jamais, Romina. Je ne doute pas un seul instant que vous ayez beaucoup de talent. Vous devez même exceller dans tout ce que vous entreprenez. Mais j'y pense... Je lance une nouvelle campagne publicitaire en Angleterre pour les vins Milaveira. Si je la confiais à votre agence, en demandant votre collaboration artistique?

– Miguel, tu parles sérieusement? Ou est-ce que ça fait partie du jeu?

Une lueur s'alluma dans ses yeux noirs.

– A toi de choisir, *cara*.

– Ne m'appelle pas comme ça! protesta-t-elle, plutôt faiblement.

– Pourquoi pas? A ce stade si prometteur de nos relations, ça me paraît tout indiqué.

109

Romina fut surprise d'apprécier beaucoup ce léger flirt, cette petite joute verbale. Après deux verres, elle éprouvait une agréable sensation de légèreté. Elle avait à peine conscience des gens qui l'entouraient. Miguel et elle étaient comme seuls au monde.

– Si on mangeait quelque chose? suggéra Miguel. Il y a un grill-room au dernier étage. On y va?

En haut, quand l'ascenseur s'arrêta, un peu brutalement, Romina vacilla malgré elle. Miguel avança la main pour la soutenir, sans plus.

Ils s'installèrent contre une grande baie vitrée qui offrait une vue panoramique de Funchal. La nuit, une myriade de petites lumières étoilait les collines autour de la baie. Humant une délicieuse odeur de viande grillée, Romina se rendit compte qu'elle mourait de faim, tout à coup. Ils goûtèrent une spécialité locale, la *espetada*, des brochettes de bœuf parfumées aux herbes et grillées sur du charbon de bois.

– Mmm, merveilleux, fit-elle rêveusement.

L'expression, dans sa pensée, englobait bien autre chose que le décor et le repas.

Le dîner terminé, ils redescendirent au grand salon. Une troupe de danseurs folkloriques y évoluait maintenant. Garçons et filles portaient des bottes de peau de chèvre et le typique bonnet pointu. L'assistance battait des mains au rythme de la musique.

Bientôt, le tempo s'accéléra, les danseurs se séparèrent et s'égaillèrent parmi les spectateurs pour les inciter à danser à leur tour. Un jeune homme à la peau sombre et au sourire éclatant entraîna Romina qui se retrouva accrochée à une folle farandole.

Cette gigue échevelée se termina dans les éclats de rire et les bravos. Romina, étourdie et hors d'haleine, laissa Miguel lui prendre le bras et la mener respirer un peu d'air frais sur la terrasse déserte.

– Oh, que je me suis amusée! souffla-t-elle.

– Nous pourrions connaître tant de moments comme celui-là, *cara*, murmura-t-il doucement.

Elle poussa un profond soupir, et ils restèrent ainsi un instant, la main de Miguel sur l'épaule de Romina, à contempler la baie. Un croissant de lune s'était levé au-dessus des montagnes, éclairant l'eau de pâles lueurs d'argent. Le spectacle était magnifique, l'air de la nuit parfumé, et Romina se sentait merveilleusement heureuse. Elle acceptait ce moment idyllique avec reconnaissance, sans se poser de questions.

Doucement, Miguel la fit se tourner vers lui. Ses lèvres effleurèrent ses cheveux, descendirent sur sa bouche.

Romina trembla sous le baiser, tout son être aspirant à le rendre. Mais, au bout d'un moment, elle trouva la force de protester.

– Non, Miguel.

– Oui, oui, *minha querida*.

– Tu... Tu triches, l'accusa-t-elle faiblement, essayant de le repousser. Tu m'as donné ta parole. Le... Le jeu...

– Oublie le jeu! murmura-t-il d'une voix brusque.

Et il l'attira sauvagement contre lui, fouillant sa bouche d'un baiser brutal et la caressant. Romina le sentait haleter de désir. Mais elle n'éprouva rien du tumulte des sens qui l'emportait alors d'ordinaire. Elle était plutôt malade de déception. Miguel n'avait pas respecté leur accord, il avait oublié la douceur, la tendresse dont elle avait tant besoin, n'écoutant une fois de plus que son exigeante passion. Cela renforça sa résolution désespérée de lui résister.

– Lâche-moi, Miguel! cria-t-elle.

Quelques personnes, qui venaient d'apparaître au bout de la terrasse, se retournèrent. Miguel relâcha immédiatement son étreinte, et elle vit son visage s'assombrir à la faible lueur du clair de lune.

– Va-t'en au diable! grinça-t-il. Ça te plaît, hein, de marivauder gentiment, de jouer la douce oie blanche, tout en espérant que je vais me transformer en cet affreux séducteur qui te prendra contre ta volonté? Car tu finirais par t'abandonner, bien sûr, et par me rendre tout au centuple. Mais je refuse cette parodie, cette négation de tout ce qu'il devrait y avoir d'honnête et de direct entre un homme et une femme, entre un époux et son épouse.

Et il la laissa plantée là, non sans lui jeter par-dessus l'épaule :

– Tu sauras peut-être persuader Desmond de jouer à ma place... selon tes règles!

8

Après une nuit d'orage, la matinée se leva, grise et sans soleil. Romina, épuisée d'avoir mal dormi, se fit monter du café. Elle se sentait incapable de rien avaler d'autre et encore plus d'affronter les questions de Phoebe Walters.

A 10 heures, Miguel téléphona.

– Je passe te prendre dans une demi-heure? Ça te va? demanda-t-il d'une voix dénuée d'expression.

– Entendu, je serai prête.

A peine avait-elle raccroché qu'elle entendit frapper. Ce ne pouvait déjà être Miguel; alors qui? Elle ouvrit en priant le ciel que Phoebe n'ait pas décidé de venir la déloger. A son étonnement, Vicencia Gonvera se tenait sur le seuil.

– Je suis venue vous parler. On m'a dit que vous étiez encore dans votre chambre. Je peux entrer?

– Que désirez-vous? balbutia Romina en reculant.

Sans répondre, Vicencia pénétra avec assurance dans la pièce, puis effectua un brusque demi-tour qui fit virevolter sa jupe de soie.

– Votre fiancé, Desmond... il est rentré en Angleterre, il paraît.

– C'est exact.

– Pourquoi vous n'êtes pas partie avec lui? s'enquit la Portugaise d'un air de défi.

Romina soupira. Elle ne se sentait pas d'humeur à subir une scène déplaisante.

– Puisque ça vous intéresse tellement, Desmond a
été obligé de rentrer pour son travail. Mais moi, j'ai
encore à faire ici.

– Et quoi donc?

– Ça touche mon divorce, comme par hasard.
Miguel et moi, nous n'avons pas encore tout
réglé.

Les yeux noirs de Vicencia étincelèrent.

– Vous croyez qu'à force de parler avec Miguel et
de lui jeter à la tête votre fameux « divorce », vous
finirez par regagner son cœur? Vous vous trompez,
je vous le répète. Miguel da Milaveira n'est pas du
genre à se laisser abuser par une tactique aussi
stupide.

– Je suppose, répliqua Romina qui sentait la
colère monter, que vous avez des méthodes plus
radicales pour le séduire?

Vicencia fronça les sourcils, légèrement désarçon-
née.

– Alors, vous l'admettez, vous essayez de le garder? Et vous n'avez fait venir ce Desmond à Madère
que pour le rendre jaloux?

– Je n'admets rien du tout. Et je n'ai aucune envie
de poursuivre cette conversation. Si cela vous
amuse tellement de fouiller dans mes intentions,
parlez-en à Miguel. Il vous écoutera peut-être!

Vicencia sembla retrouver toute son assurance.
Elle eut un petit rire.

– Bonne idée! Ce serait très instructif pour
Miguel d'apprendre quel genre de femme vous êtes.
Quand il saura jusqu'où vous êtes capable de vous
abaisser pour rester accrochée à lui, il changera
d'opinion à votre sujet et consentira au divorce
sur-le-champ.

– Il changera d'opinion à mon sujet? Qu'est-ce
qu'il vous a dit sur moi? demanda Romina malgré
elle.

Vicencia haussa les épaules et se détourna, lui
présentant son profil délicat.

– Un Portugais ne se résout pas à divorcer d'un

cœur léger, déclara-t-elle avec hauteur. Il met son point d'honneur à préserver son mariage, même si sa femme n'en vaut pas la peine. C'est pourquoi Miguel doit comprendre, pour son propre bien, quelle petite intrigante vous êtes. Une fois débarrassé de vous, il pourra commencer une vie nouvelle.

– Avec *vous*, naturellement.

– Naturellement. Nous nous entendons parfaitement sur tous les plans. Nous serons...

– Si vous avez encore une minute à perdre, l'interrompit Romina, vous allez pouvoir raconter tout ça à Miguel en personne.

– Que... Que voulez-vous dire?

– Je l'attends d'un instant à l'autre, expliqua-t-elle, prenant un plaisir pervers à voir blêmir Vicencia. Nous avons rendez-vous avec son avocat, mais il aura sûrement une minute pour vous dire quelle femme parfaite vous serez pour lui.

Vicencia, affolée, se précipita sur la porte.

– Surtout, que Miguel ne me voie pas ici! Vous allez lui raconter que je suis venue, je parie, dit-elle haineusement. Mais vous feriez mieux de vous abstenir, car je nierai farouchement. Et c'est *moi* que Miguel croira, pas vous. J'ai toujours su me faire croire d'un homme.

En dépit de ses airs de bravade, Vicencia était visiblement ébranlée. Mais Romina était bien incapable de savourer son triomphe. Elle se sentait malade de dégoût et désirait seulement qu'on la laisse en paix. Miguel n'avait qu'à épouser cette femme, s'il était assez stupide pour ne pas comprendre qu'elle le manipulait.

– Inutile de vous inquiéter, dit-elle en ouvrant la porte. Je ne parlerai pas de vous à Miguel, pour la bonne raison que vous ne comptez pas à mes yeux.

Vicencia hésita.

– Vous allez vraiment voir un avocat, ce matin?

– Je n'ai pas l'habitude de raconter des histoires, même à quelqu'un de votre espèce.

– Et après, vous quitterez Madère?

– Je reprendrai même l'avion aujourd'hui, si ce n'est pas trop tard. Je n'ai absolument pas envie de m'éterniser ici plus que nécessaire.

– Je me demande ce que vous manigancez encore. Mais ça ne marchera pas. J'y veillerai.

Romina serra les poings, maîtrisant sa colère.

– Si vous traînez, vous risquez de tomber sur Miguel dans le hall de l'hôtel.

– Je m'en vais, dit-elle, de nouveau affolée. Et j'espère bien ne plus jamais vous revoir.

– C'est réciproque! cria Romina en claquant la porte.

Mais, une fois seule, tout son courage l'abandonna. La visite de Vicencia lui avait ôté ses forces. Elle s'effondra dans un fauteuil et se mit à pleurer.

Brusquement, dans un sursaut d'inquiétude, elle se souvint qu'elle attendait Miguel. Elle entreprit de se maquiller avec soin, sans réussir à effacer les traces de son accablement, les cernes de ses yeux gonflés par les larmes et le manque de sommeil.

Le téléphone sonna. On l'avertissait de la réception que le senhor da Milaveira l'attendait en bas.

En voyant l'ascenseur s'ouvrir, Miguel quitta son fauteuil. Il l'examina d'un regard scrutateur.

– Qu'est-ce que tu as, Romina?

– Rien. Je vais très bien.

– Tu mens, déclara-t-il, fort peu galamment. Dis-moi, Romina, tu n'aurais pas changé d'avis, par hasard?

– Oh! Mon Dieu, Miguel! Ce serait un peu tard, tu ne crois pas? Dépêchons-nous, je t'en prie!

– Comme tu voudras, fit-il gravement. La voiture est devant la porte.

Le portier, impavide, les salua au passage. Le vent charriait des gouttes de pluie. Le ciel était lourd, les montagnes couvertes de nuages gris.

– Ce mauvais temps est inhabituel. Ça ne durera

pas, observa Miguel en faisant démarrer la Mercedes blanche.

Romina était trop tourmentée pour faire des commentaires. Ils roulèrent longtemps en silence. Brusquement, elle découvrit que la ville était loin derrière eux et qu'ils étaient environnés de nuages. A travers la brume, elle voyait défiler interminablement les fantômes des grands pins.

– Où sommes-nous donc?

– Environ à mi-chemin.

– A mi-chemin de quoi? Où allons-nous?

– C'est si important?

– Je croyais que nous avions rendez-vous à Funchal. Chez ton avocat.

– Nous n'allons pas chez mon avocat. Je n'ai jamais dit ça.

– J'avais pourtant cru comprendre. Miguel, qu'est-ce qui se passe? Pourquoi tout ce mystère? demanda-t-elle, prise d'appréhension.

Miguel tourna brutalement à droite, abandonnant la route semée d'ornières pour s'engager dans un sentier étroit, bordé d'une végétation sauvage et humide de pluie qui frôlait la voiture au passage. Le sentier descendait, montait, descendait encore. La grosse voiture dérapait dans les virages, faisant rouler des pierres dans un grondement sourd.

– Miguel! cria Romina, à présent effrayée. Pour l'amour de Dieu, dis-moi où nous allons!

– Si tu veux bien me laisser me concentrer, nous y arriverons plus vite.

Quelques minutes plus tard, ils sortirent du brouillard. Ils roulaient maintenant dans une vallée apparemment déserte. Ils franchirent un étroit pont de bois entre deux blocs rocheux, et Romina aperçut au-dessous d'elle les eaux écumantes d'une rivière. De hautes montagnes cernaient l'horizon.

– Miguel...!

– Encore deux minutes et nous y serons, coupat-il d'un ton sec.

Le sentier bifurqua une fois de plus, et elle

découvrit des collines cultivées en terrasses et plantées de petits vignobles. Entre les rangées de vigne poussaient des oignons, des choux et des patates douces. Ils dépassèrent une étable au toit de chaume, juste assez grande pour une seule bête. Un peu plus loin, un homme travaillait la terre, courbé sur une sorte de houe. Il se redressa au passage de la voiture et salua de la main.

— C'est Pedro, annonça brièvement Miguel.

Ils traversèrent un champ de canne à sucre, contournèrent un grenadier et s'arrêtèrent soudain devant une maison à deux étages, au toit de tuiles rouges et aux murs peints en bleu ciel. Avec du soleil, songea Romina, ce doit être une demeure charmante. Maintenant, elle paraissait glaciale, et, lorsque Miguel arrêta le moteur, on n'entendit plus que le crépitement déprimant de la pluie.

Romina se tourna vers lui, l'air accusateur.

— Je veux des explications, Miguel. Où sommes-nous?

— A la Casa das Belas.

— Cela ne me dit rien. Enfin, qu'est-ce qui se passe?

— Nous sommes dans un de nos petits vignobles. La maison a été bâtie par mon arrière grand-père, Luis da Milaveira, qui ne boudait pas les plaisirs de la chair... Sa femme, hélas! était plutôt du genre mégère, et il cachait ici ses nombreuses fredaines. On a fini par appeler ce nid d'amour la Maison des belles femmes. C'est un lieu isolé... idéal pour un intermède romantique.

— Et naturellement, ton avocat n'est pas là?

— Bien sûr que non! Adolfo? Quelle idée!

— Pourtant, tu m'avais promis que nous irions le voir.

Pour le moment, Romina était trop en colère pour avoir peur.

— Rectification, fit Miguel. Tout ce que j'ai dit, c'est que nous allions régler cette histoire de divorce, et c'est ce que je me propose de faire pendant que nous sommes là.

– Ne mens pas, Miguel. Tu as dit clairement à Desmond que tu avais rendez-vous avec ton avocat aujourd'hui.

– Vraiment? Alors, j'ai dû annuler.

– Tu as manigancé tout ça quand tu as su que Desmond repartait pour l'Angleterre, s'écria-t-elle, furieuse. Mais tu t'es donné beaucoup de mal pour rien, car je rentre tout droit à Funchal!

– Ça me paraît difficile, *cara*. C'est très loin et tu rencontrerais pas mal d'obstacles en chemin.

– Mais c'est toi qui va me ramener, bien sûr, affirma-t-elle en affectant une certaine assurance.

– Pas question! Je reste ici... et ma voiture aussi.

D'un geste délibéré, il ôta la clé de contact et la glissa dans sa poche.

– Combien... Combien de temps as-tu l'intention de me garder ici? balbutia-t-elle.

– Aussi longtemps qu'il faudra!

– Mais il n'y a pas grand-chose à discuter, dit Romina en essayant d'empêcher sa voix de trembler. Tout ce que je te demande, Miguel, c'est de ne pas t'opposer au divorce. Si tu refuses de coopérer... j'attendrai un peu plus pour épouser Desmond, voilà tout. D'une façon ou d'une autre, je finirai par être libre.

– Alors, prends patience, observa-t-il sèchement. Encore trois ans, je crois, avant que ta belle loi anglaise te permette de divorcer sans mon consentement.

– Je t'en prie, Miguel! Ce n'est pas comme si j'espérais quelque chose de toi... je veux dire un arrangement financier quelconque. Tout ce que je veux, c'est mettre un terme à notre mariage.

– Alors, tu devras payer mon prix.

Une femme vêtue de noir apparut dans l'ombre, sur le seuil.

– Lucia nous attend. C'est la femme de Pedro.

Elle entretient régulièrement la maison, bien que celle-ci ne soit pas occupée. J'y prends un repas de temps à autre lorsque je viens surveiller le vignoble.

L'idée qu'elle pourrait trouver une alliée en Lucia effleura Romina. La femme avait une allure nette et stricte, avec ses cheveux gris coiffés en un sobre chignon. Miguel lui sourit et lui parla en portugais; Lucia invita d'un geste Romina à entrer.

Romina saisit l'occasion.

— Je ne reste pas, lui dit-elle. Je... Je voudrais que le senhor me ramène à Funchal immédiatement.

Lucia eut une réaction étrange. Elle hocha vigoureusement la tête en souriant et répéta son invitation muette.

— J'ai bien peur que Lucia ne parle pas un mot d'anglais, expliqua Miguel. Tout ce qu'elle comprend, c'est s'il vous plaît ou merci, oui ou non.

Romina lui lança un regard courroucé.

— Pourquoi te montres-tu si affreux, Miguel? Tu n'obtiendras rien de moi, et....

— Oh! que si, *cara*.

— *Quoi*, exactement? Tu parles d'un prix à payer? Quel prix?

— Nous verrons ça plus tard. En attendant, monte donc te faire une beauté. Ensuite, nous goûterons au repas préparé par Lucia. C'est une excellente cuisinière.

Romina s'inclina, non sans trépigner de fureur.

Elle lança à Miguel :

— Nous réglerons tout ça dès que je redescendrai.

— Je l'espère bien, *querida*!

A l'intérieur, l'impression de tristesse due à la pluie était encore accentuée par les meubles massifs de bois sombre. Cependant, de belles porcelaines éclairaient le décor de la salle à manger et du salon. Un solide escalier à balustrade tournait deux fois sur lui-même avant d'atteindre l'étage supérieur. Lucia la fit pénétrer dans ce qui était manifestement la chambre à coucher principale.

La fenêtre, qui donnait sur le vignoble, au delà d'un jardin luxuriant, était drapée de rideaux de brocard rose. La pièce dégageait la même atmosphère à la fois élégante et démodée que le reste de la maison. Des rondes de nymphes fort peu vêtues décoraient le papier peint, et deux cupidons sculptés trônaient à la tête et au pied du gigantesque lit recouvert de satin. Un doux parfum de cire embaumait l'air, mêlé à celui d'un bouquet de fleurs sauvages disposées dans un vase bleu, sur une commode.

Lucia attendait visiblement quelque compliment pour sa diligence à entretenir les lieux.

– Très joli! murmura Romina, cherchant désespérément un ou deux mots de portugais. *Bonito...* Oh, mon Dieu! *muito bem*!

Cela lui valut un sourire épanoui et une petite révérence, accompagnés d'un torrent de mots dans lequel elle distingua seulement *casa de banho*, salle de bains.

Une fois seule, Romina réfléchit. De toute évidence, la colère n'était pas la bonne arme contre Miguel. Pour lui démontrer l'absurdité de son comportement et les risques qu'il prenait en la gardant ici contre son gré, elle avait besoin d'arguments sans faille. En même temps, elle devinait que Miguel da Milaveira ne suivrait jamais que sa propre loi. Afin de se préparer à leur prochaine confrontation, elle décida d'aller faire un peu de toilette. La salle de bains était plutôt antique, avec sa baignoire à pieds, mais l'eau était chaude et les serviettes douces au toucher.

Quand elle revint dans la chambre, un peu revigorée, elle trouva sur le lit une valise de cuir rouge. Qu'est-ce que Miguel avait encore inventé? La valise contenait un assortiment de vêtements flambant neufs. Une garde-robe complète : deux robes, une longue et une courte; un blue-jean et deux sweaters; des slips et des collants; des chaussures, dont des bottes paysannes en peau de chèvre, si pratiques pour la montagne. Il ne manquait même pas la chemise de nuit et le déshabillé, tous deux de satin rose.

« Quel culot! Alors, Miguel s'imagine que je n'ai pas le choix, que je vais rester sa prisonnière! Eh bien, il se trompe. S'il refuse de me ramener à Funchal, je rentrerai à pied, je ferai du stop. »

Elle se donna un coup de peigne et retoucha son maquillage. Puis, oubliant qu'elle avait décidé de garder son calme, elle dévala l'escalier quatre à quatre.

– Comment! Tu ne t'es pas changée? Avant, tu trouvais toujours que j'avais bon goût en matière de vêtements!

– Miguel, Dieu sait à quel jeu tu joues, mais...

– Ce n'est pas un jeu, *querida*, ne t'y trompe pas!

Il la précéda au salon, remplit deux verres de madère sec. Romina se dit que l'alcool apaiserait ses nerfs tendus. Elle sirota quelques gorgées avant de demander :

– Qu'est-ce que tu veux de moi?

– Oh! Rien que de très simple. Que, pour une fois dans ta vie, tu sois tout à fait honnête. Je veux que tu reconnaisses ouvertement que tu me désires physiquement, avec passion.

– Ce serait faux!

– Ah! s'exclama Miguel avec impatience. Toujours ta ridicule comédie! Romina, je ne te libérerai qu'à cette condition : tu dois venir vers moi de ton propre gré et avouer enfin ton besoin ardent de cette plénitude que je suis le seul à pouvoir t'apporter.

Elle ouvrit la bouche, horrifiée.

– Est-ce que tu penses sérieusement que je vais me mettre à genoux pour te supplier de... de me posséder? C'est cela que tu exiges, avec ton insupportable arrogance?

– C'est peut-être dit un peu crûment, mais qu'y a-t-il là de si terrible? Est-ce que toute femme ne devrait pas pouvoir confesser sans honte son désir à son mari?

– Ce serait dégradant, surtout quand il n'y a pas entre eux le moindre am...

Romina s'arrêta, incapable de prononcer le mot. Miguel posa son verre avec une telle violence qu'il faillit le briser. Il bondit vers elle et l'agrippa aux épaules avec sa cruauté familière.

– Le moindre *quoi*? Quand il n'y a pas *quoi*?

« Quand il n'y a pas d'amour! » Si seulement elle avait le courage de lui jeter cela au visage. Elle avait *voulu* l'aimer, elle l'avait aimé au début, avant de comprendre enfin qu'il était incapable du même sentiment. L'amour, pour lui, n'était qu'un acte de possession brutale et sans tendresse. Jusqu'ici, il avait éprouvé un plaisir triomphant à la sentir répondre malgré elle à son désir. Mais cela ne lui suffisait plus; maintenant, il lui demandait de faire le premier pas. C'était un double outrage.

– Miguel, je veux partir tout de suite, dit-elle d'une voix ferme, en s'efforçant de ne pas ciller sous la douleur que ses doigts imprimaient à sa chair. Si tu refuses de me conduire à Funchal, j'irai à pied. Lâche-moi, s'il te plaît!

Un court instant, Miguel la serra davantage, à l'écraser. Puis ses mains retombèrent.

– Je vais t'expliquer la situation une dernière fois, fit-il avec une froide hostilité. Le temps que tu resteras ici dépend entièrement de toi. Tu n'as qu'une décision très simple à prendre. Incline-toi devant tes instincts naturels, Romina, c'est tout ce que j'exige. Viens vers moi, au moins une fois. Laisse-moi faire l'amour à la femme sensuelle que tu es en réalité, sans me donner d'abord le specta-cle de ta pureté outragée. Dis-moi que tu acceptes et *prouve-le*-moi. Après, le reste ne regarde que toi. Tu seras libre de partir immédiatement, si tu le désires encore. Je ne te retiendrai pas. Tu auras ton divorce. Je t'en donne ma parole.

Romina le regarda, incrédule.

– Tu es malade! Je refuse, *définitivement*.

– Définitivement! Tu t'avances beaucoup, *querida*, dit-il en haussant les épaules.

– Et cette farce va durer longtemps?

– Tu es ma femme, et tu as le devoir de rester près de moi aussi longtemps que je le désire, lui jeta-t-il. Dans mon pays, j'ai tous les droits.

– Donc, au besoin, tu serais prêt à employer la force?

– Même pas, je n'en aurai pas besoin. Tout simplement parce qu'il n'est guère facile de sortir de cette petite vallée – du moins pour quelqu'un de ta constitution.

– Qu'est-ce que tu veux dire? demanda-t-elle, stupéfaite.

– Ça, ma chère Romina, tu le découvriras si tu essaies de t'échapper.

Elle resta un moment abasourdie et indécise. Mais voir que Miguel s'amusait de son irrésolution la poussa à l'action. Elle tourna les talons et remonta en courant dans la chambre, où elle enfila son imperméable. Elle fut tentée de chausser les bottes de peau de chèvre, mieux adaptées aux sentiers glissants et rocailleux, mais elle s'abstint en pensant aux moqueries inévitables de Miguel.

Quand elle arriva dans l'entrée, Lucia sortait de la cuisine, d'où émanaient de délicieuses odeurs. Romina se rendit compte qu'elle mourait de faim. La voyant en imperméable, Lucia parut perplexe et se lança dans un discours en portugais. Romina saisit le mot *almôço*, et en conclut que le déjeuner était prêt.

– Lucia s'est donné beaucoup de mal pour toi. Tu ne vas pas bouder sa bonne cuisine! lança Miguel depuis le salon.

Romina se mordit les lèvres. Il n'était pas dans

ses habitudes d'offenser qui que ce soit, surtout quand on ne lui avait pas fait de tort.

— Je t'en prie, Miguel, explique à Lucia que je n'ai pas le temps de rester manger.

— Mais ce n'est pas vrai, Romina.

— Alors, invente ce que tu voudras!

Et elle sortit en trombe de la maison.

Elle se mit en route sous une bruine pénétrante. Au bout de quelques minutes, elle atteignit le vignoble et s'engagea entre les hautes treilles. Avec la pluie et le brouillard, la petite vallée bordée de montagnes grises paraissait inquiétante, hostile. Mais elle continua résolument.

Elle avait à peine parcouru un kilomètre qu'elle entendit des pas derrière elle. Miguel? Non, consta-ta-t-elle en se retournant, c'était Pedro, le mari de Lucia. Ainsi, Miguel avait mis un de ses hommes à ses trousses!

Elle lui ordonna d'un geste furieux de ne pas la suivre, mais il n'en fit rien. Elle poursuivit son chemin, décidée à lui dire clairement de la laisser tranquille quand il la rattraperait. Malgré sa brutalité, Miguel n'avait sûrement pas ordonné qu'on la lui ramène de force, comme un paquet.

En entendant un bruit d'eau rugissant, Romina devina qu'elle approchait de la rivière. Mais, quand elle arriva en vue du ravin, elle s'arrêta, épouvantée. L'autre extrémité du petit pont de bois avait été relevée par un système de chaînes et de poulies. Impossible de traverser.

A moins... A moins que Pedro ne lui vienne en aide? Elle se retourna et lui fit signe. Il s'approcha après une hésitation, courte silhouette au pantalon trop grand et élimé, coiffée du curieux bonnet de laine à pompon des paysans de l'île.

— *Bom dia*, Pedro. Heu... vous ne parlez pas un peu anglais?

Il sourit, révélant de grandes dents écartées, mais, visiblement, il n'avait pas compris un mot. Romina montra le pont, levant et baissant le bras. Puis elle sortit son portefeuille et lui tendit tout ce qu'il contenait, environ mille escudos, une grosse somme pour un paysan. L'homme parut tenté, mais sa loyauté envers Miguel reprit le dessus. Il recula en secouant la tête.

Dépitée, Romina s'appliqua à étudier le mécanisme du pont-levis, mais il n'y avait rien à faire; la grande roue dentée était maintenue par un solide cadenas. Elle s'approcha du ravin, mais le bref regard qu'elle y jeta la rendit malade de vertige. La paroi rocheuse ne mesurait pas plus de quinze mètres, mais elle tombait à pic sur la rivière. Si, par quelque miracle, elle réussissait à combattre sa nausée et à se laisser glisser jusqu'en bas, comment pouvait-elle espérer traverser ces flots tumultueux?

Les larmes aux yeux, Romina chercha désespérément autour d'elle une autre voie. Mais les montagnes abruptes encerclant la vallée formaient une barrière aussi efficace que le ravin. Elle était bien prisonnière à la Casa das Belas.

« Tu as gagné aujourd'hui, Miguel, mais je te ferai payer cette victoire. »

Elle rentra finalement à la maison, trempée jusqu'aux os, ses chaussures élégantes transformées en carton bouilli souillé de boue. Miguel était invisible. Son soulagement fut bref, car elle se demanda aussitôt ce qu'il pouvait bien manigancer.

Lucia sortit de la cuisine, pleine de sollicitude. Sans cesser de parler, elle escorta Romina jusqu'à la chambre à coucher. La valise avait disparu, les vêtements étaient sans doute rangés. Lucia lui fit comprendre par gestes de se changer et de descendre manger.

Ne pas l'écouter eût été stupide. Elle n'allait pas aggraver son sort en attrapant un rhume. Elle ôta ses vêtements mouillés et les mit à sécher, puis, après avoir fait un nouveau brin de toilette, elle explora la garde-robe fournie par Miguel. Elle jeta son dévolu sur le blue-jean, un sweater jaune, et changea de chaussures. Comme prévu, tout lui seyait à merveille. En bas, Miguel ne se montrait toujours pas. Lucia lui apporta une soupe de légumes fumante, qui lui redonna des forces et lui remonta le moral. Puis elle goûta le fromage crémeux qu'elle accompagna de pain croustillant et d'un verre de vin rouge, et elle termina par des figues succulentes.

Lucia, qui revenait avec le café, vit que Romina avait bien mangé, et hocha la tête avec satisfaction.

– Vous... trouver bon? réussit-elle à dire.

– Oh, oui, c'était délicieux. Et j'en avais besoin!

Lucia, qui semblait la comprendre en gros, sourit de toutes ses dents.

– Où est le senhor da Milaveira? demanda Romina. Le senhor... où, *donde*?

Devant l'expression subitement indéchiffrable de Lucia, Romina jugea inutile d'insister. Lucia, Pedro et les autres serviteurs, s'il y en avait, tous étaient entièrement dévoués à Miguel, le moindre de ses désirs était un ordre.

Un pâle rayon de soleil perça la grisaille du ciel et pénétra dans la pièce, qui devint soudain charmante. Romina finit son café et sortit dans le jardin. Les nuages s'éloignaient déjà, une vapeur légère montait de la petite vallée sous la chaleur du soleil, et celle-ci prenait un aspect différent, elle devenait mystérieusement paisible et accueillante. Même les montagnes, à présent nettement découpées, avec leur façade rocheuse adoucie par une ombre de verdure – et çà et là le fil d'argent d'une cascade – ne semblaient plus menaçantes.

Mais où diable était Miguel? A quoi jouait-il, maintenant?

L'après-midi s'étira. Au loin, dans les vignes, on entendait les hommes au travail. Romina erra sans but, s'assit un instant et observa un petit lézard brun sur le mur de pierre, tout près d'elle. Elle songeait tristement qu'elle aurait pu trouver la paix dans cet endroit. Oui, c'était un paradis pour amoureux, isolé du monde.

Lucia vint lui demander si elle voulait du *chà*. Ce thé, servi sur la petite véranda, lui parut très rafraîchissant. Il était accompagné de petits gâteaux aux amandes sortant du four.

« Miguel m'a-t-il abandonnée? » se demanda-t-elle avec anxiété, tout en déambulant dans le jardin. Mais sa voiture était toujours devant la maison. Si cette disparition avait pour but d'accroître son inquiétude, c'était réussi!

Le soleil se coucha lentement sur la vallée. Les montagnes se détachèrent un instant sur un ciel pourpre, puis se fondirent dans le crépuscule. Le chant des oiseaux se tut, bientôt remplacé par celui des grillons. Une brise légère caressa les bras nus de Romina, et elle frissonna. Elle rentra dans la maison, où les lampes étaient à présent allumées.

Lucia, qui disposait le couvert dans la *sala de jantar*, leva les yeux et lui sourit. « *Deux* assiettes », nota Romina. Miguel allait donc enfin réapparaître. Elle monta dans sa chambre et décida de se changer.

Elle ne mettrait pas la robe du soir – un ravissant modèle en crêpe bleu pâle. Ce serait accorder à Miguel une trop grande victoire. Elle choisit la robe courte plissée, d'allure sobre, en coton gris-vert.

En bas, elle trouva Miguel dans le salon. Il fit des signes d'approbation.

– Tu es très belle, *cara*. Comme toujours.

Romina haussa les épaules.

– Miguel, tu ne crois pas que cette idiotie a assez duré?

– Apparemment pas! Quand tu te décideras à accepter mes conditions, *querida*, quand tu choisiras d'être honnête, tu n'auras qu'à m'appeler. Pour ta gouverne, ma chambre est juste en face de la tienne. La porte à côté de la salle de bains. Je serai disponible à tout moment! ajouta-t-il ironiquement.

– Tu as perdu la tête! Tu t'imagines que je vais m'abaisser à te demander... *quoi que ce soit*?

– Mais si, le divorce.

– Le divorce a autant d'intérêt pour toi que pour moi.

– Je pourrais en dire autant de mes propositions.

Elle lui jeta un regard haineux.

– Pas question, Miguel! Comme tu serais flatté dans ton orgueil, si je satisfaisais ta requête! Mais je ne le ferai jamais, tu entends! Jamais!

– Alors, tu n'es pas près de partir, mon amour.

Dans un bruissement d'étoffe noire, Lucia annonça que le dîner était servi. Raide de dignité, Romina gagna la *sala de jantar* et prit place à la table ovale. Miguel s'assit en face d'elle, son visage aux traits fins creusé par la lumière de la lampe de cuivre. La nourriture était simple mais excellente. La viande était tendre et les légumes fraîchement cueillis. Ils terminèrent par un délicieux melon au madère.

– Tu veux prendre le café au salon?

– Non, merci, fit-elle les dents serrées.

Il jeta sa serviette sur la nappe et sortit en lui lançant :

– Eh bien, bois le tien ici, dans ton splendide isolement.

Une heure plus tard, vêtue de la luxueuse chemise de nuit, Romina baissa la lampe, ouvrit la fenêtre de sa chambre et contempla la nuit. La maison et toute la vallée étaient enveloppées de silence. Seul le murmure lointain de la rivière parvenait jusqu'à elle. On n'apercevait pas la moindre lumière. « Comme cet endroit est retiré du monde », se dit-elle en frissonnant.

Elle souffla la lampe et se glissa dans le lit voluptueux aux cupidons sculptés. Mais le sommeil ne venait pas. De l'autre côté du couloir, Miguel aussi devait être dans son lit. S'agitait-il autant qu'elle, incapable de trouver le sommeil? Attendait-il... Attendait-il qu'elle aille le rejoindre? L'idée même accéléra les battements de son cœur et elle sentit frémir tous ses sens.

Un court instant, elle envisagea cette possibilité. Et si elle acceptait ses conditions, uniquement, bien sûr, pour s'en sortir? Elle irait lâchement le trouver : « Miguel, laisse-moi me coucher près de toi et fais-moi l'amour. Je te veux... autant que tu me veux. »

« Oui, pourquoi pas? Et demain, je serai libre. Je quitterai la Maison des belles femmes et je rentrerai à l'hôtel. Je prendrai le premier avion pour l'Angleterre et sortirai à jamais de la vie de Miguel. Feindre la soumission pendant une seule nuit d'amour, après tout, la rançon n'est peut-être pas trop élevée pour gagner sa liberté. »

Romina était déjà hors du lit, elle atteignait la porte, les jambes tremblantes et le cœur battant à coups redoublés, quand elle s'arrêta, horrifiée. Elle devait être folle. Comment avait-elle pu envisager cette éventualité, ne serait-ce qu'une minute? En un éclair, elle comprit qu'en agissant ainsi elle ne se libérerait jamais de lui. Jamais. Si elle devait s'offrir à Miguel de son plein gré – quelle qu'en soit la raison –, elle serait à lui pieds et poings liés, pour toujours. Après cela, impossible de faire marche arrière, donc, adieu divorce. Sa capitulation ne ferait que renforcer le besoin secret et profond qu'elle avait de l'amour de Miguel, et l'enchaînerait inévitablement à lui.

9

Après une nuit agitée, Romina s'éveilla comme l'aube commençait à poindre. Elle avait la peau brûlante. Elle sauta du lit, enfila le négligé de satin et gagna sur la pointe des pieds la salle de bains où elle s'aspergea le visage d'eau froide.

Entendant un léger bruit en bas, elle crut que Lucia s'affairait déjà dans la cuisine. Mais, en ressortant de la salle de bains, elle vit Miguel monter l'escalier. Il portait un peignoir court, noué à la taille par une cordelière, et ouvert sur la poitrine brune semée de duvet noir. Il avait les traits tirés.

– Tu as passé une bonne nuit, Romina ?

– J'ai dormi aussi bien que j'ai pu.

– Moi aussi ! fit-il avec un petit rire. C'est-à-dire pas beaucoup. (Comme elle s'apprêtait à regagner sa chambre, il ajouta :) Ainsi, tu as résisté à la tentation de venir me rejoindre, *querida* ?

– Ce ne fut pas très difficile, mentit Romina.

– Mais qu'est-ce que tu espères en t'entêtant comme ça ?

– Le respect de moi-même, pour commencer, répondit-elle avec dignité.

– C'est ton refus de laisser faire ta nature passionnée que tu prends pour du respect ? Alors, Dieu nous en préserve !

– Quand te rendras-tu compte que tu te trompes

complètement sur moi? répliqua Romina, courrou-
cée. Je t'en prie, Miguel, je veux retourner au lit.

– Ah! enfin une invitation?

– Fiche-moi la paix, tu as compris?

– Tu en demandes trop, *querida*... pourquoi ne
pas te montrer raisonnable? Un simple aveu... c'est
tout ce que j'attends.

– Je refuse de mentir pour satisfaire ton orgueil,
Miguel.

Il poussa un soupir excédé.

– Mais c'est en ce moment que tu mens! Tu ne
vois pas que tu renies ta nature profonde? (Il tendit
la main vers celle de Romina, mais elle s'écarta à
temps.) Allons, *querida*, reprit-il d'un air câlin, laissons tomber tout ça et soyons des amis... des
amoureux.

– Des amoureux! s'écria-t-elle avec un rire méprisant. Tu oses prononcer ce mot en parlant de nous
deux?

– Bon, des partenaires, si tu préfères. Des partenaires consentants, prêts à se donner mutuellement
du plaisir. Après tout, ce n'est pas ça qu'on appelle
« l'amour »?

Romina lui jeta un regard de haine et de dégoût,
qu'il soutint sans sourciller, ses yeux d'ébène luisant
d'un noir intense. Elle resta ainsi un long moment,
comme hypnotisée, honteuse du trouble qui la
poussait vers lui. Puis, avec un petit sanglot, elle se
détourna et poussa la porte de sa chambre. Mais il
était déjà derrière elle.

– Miguel! protesta-t-elle, saisie de frayeur. Sors
d'ici tout de suite.

Pour toute réponse, il ferma la porte avec une
lenteur calculée. Puis il avança sur elle.

– J'en ai assez, Romina, dit-il d'une voix rauque. Il
y a une limite à ce qu'un homme peut supporter.
Nous allons donc jouer le jeu selon *tes* règles.
Débats-toi comme un chat sauvage, je m'en moque.
Mais après... après, si tu oses me regarder en face et
me soutenir que tu ne voulais pas autant que moi ce

qui va arriver, tu seras la menteuse la plus accomplie que j'aie jamais rencontrée.

Romina recula jusqu'à heurter du dos le pied de lit sculpté.

– Miguel, supplia-t-elle, comment te convaincre que je ne veux pas que tu fasses l'amour avec moi? Et pourquoi donc faut-il que ce soit *moi*? Il doit y avoir des tas de femmes qui ne demandent qu'à coucher avec toi.

– Des douzaines! Mais tu es ma femme, et c'est *toi* que je désire. J'attends ce moment depuis deux ans.

– Et tu es resté chaste pendant tout ce temps! Raconte ça à d'autres! ricana-t-elle.

Miguel était maintenant si près qu'elle sentait sa respiration lui frôler la joue, tiède et haletante.

– Ce que j'ai fait pendant ces deux ans ne te regarde pas, ma chère femme! C'est toi qui m'as abandonné, ne l'oublie pas!

– Tu m'y avais forcée!

– Mais la force, c'est tout ce que tu aimes!

Sans se presser, il leva les bras et referma leur piège d'acier autour d'elle. Romina lutta pour se dégager, mais elle se rendit compte qu'elle ne lui échapperait pas, à moins d'essayer de le faire changer d'avis.

– Arrête, Miguel, je t'en prie. Tu me fais mal. Lâche-moi!

– Mais c'est ce que tu veux, non, *cara*? Vas-y, continue de te refuser, de jouer les victimes. Débats-toi comme une diablesse si c'est la seule façon pour toi de goûter l'amour.

– Tu te trompes, Miguel... tu te trompes complètement!

Si seulement, songea-t-elle en perdant tout espoir, si seulement il pouvait la prendre avec un semblant de tendresse, alors, il ne serait peut-être pas trop tard. Mais pas comme ça, Seigneur! pas comme une brute. En résistant, elle ne ferait que décupler son ardeur; mais capituler sans se défendre avait quelque chose d'humiliant.

Fou d'impatience, Miguel lui arracha son déshabillé; il prit à deux mains la chemise de nuit et la déchira de haut en bas. Il se débarrassa de son peignoir avec la même hâte. Puis, quand ils furent nus tous les deux, il serra de nouveau Romina contre lui.

— Non, Miguel, non, sanglota-t-elle.

Il la fit taire en plaquant sa bouche sur la sienne et en la caressant brutalement, ne songeant qu'à son propre plaisir. Et, tandis que ses mains pétrissaient et moulaient la chair douce, Romina se mit à trembler malgré elle, incapable de refouler la vague de désir insidieux qui déferlait à travers tout son corps. Maintenant, les mains de Miguel étreignaient ses seins, les palpant doucement jusqu'à la faire gémir de plaisir. Traître à elle-même, son corps réagissait une fois de plus, comme il réagirait toujours face à la tyrannie pressante de son mari. A bout de résistance, elle se cabra contre lui, serrant nerveusement les doigts sur sa nuque bouclée.

Elle se laissa jeter sur le lit sans protester. Une force plus grande que sa volonté l'écrasait, un bouleversant tumulte de désir qui exigeait satisfaction. Oui, *satisfaction*, même si elle savait qu'elle le paierait inévitablement par le mépris d'elle-même. Elle faillit crier de joie lorsque Miguel la prit enfin. Et, au moment où les premiers rayons du soleil, se levant au-dessus des montagnes, pénétrèrent dans la chambre et caressèrent leurs corps, elle laissa échapper une longue plainte d'extase.

Mais, en retrouvant ses sens, Romina n'éprouva aucune bienheureuse plénitude, aucune tendresse envers cet homme dont le corps gisait toujours sur le sien. Lorsque Miguel bascula sur le côté, elle ne ressentit que du soulagement. Et, tout de suite après, une honte cuisante. Elle ramena hâtivement les draps sur elle pour cacher sa nudité.

Miguel lui tourna le dos un bon moment. Il

respirait par saccades. Puis il lui fit face, se soulevant sur un coude. La lueur moqueuse qu'elle redoutait tant était réapparue dans ses yeux.

– J'espère que la performance était à ton goût, *querida*?

Romina lui lança un regard haineux.

– Qu'est-ce que tu crois avoir gagné, Miguel? Je me dégoûte un peu plus, et voilà tout.

– Simplement parce que tu viens de faire l'amour avec ton mari?

– Tu devrais au moins avoir la décence de sortir de ma chambre, maintenant, dit-elle.

– Tu veux dire *notre* chambre! Après ce qui vient de se passer...

– Non, Miguel. Pour moi, tu seras toujours un intrus.

Il la dévisagea un moment, perplexe.

– Je n'étais pas un intrus pour la femme que je viens d'aimer.

– Alors, il y a deux femmes en moi! Et je ne suis pas fière de la seconde, celle qui reflète l'aspect le plus vil de mon caractère. Elle existe, je ne le nie pas... et ce qui s'est produit entre nous n'est qu'un assouvissement animal des sens. Je me méprise autant que je te méprise.

Le beau visage de Miguel s'assombrit de colère malgré son sourire, un sourire cruel.

– Encore en train de jouer ta petite comédie, mon amour? Je suis toujours l'affreux séducteur? Tant pis! J'attendrai patiemment que tu te décides à être honnête envers toi-même, et que tu viennes à moi de ton plein gré.

– Jamais, hoqueta-t-elle. Jamais.

– Nous verrons! Jamais, c'est plutôt long, *cara*!

Il se leva et resta debout un moment. Le soleil brillait sur son corps nu, caressant sa peau dorée, et Romina retint involontairement sa respiration. Il était magnifique – elle ne pouvait le nier –, et un profond sentiment de tristesse s'empara d'elle, qui lui fit venir les larmes aux yeux. Elle regrettait presque de n'avoir pas obéi à sa première impulsion, pendant la nuit. Si elle s'était donnée à lui volontairement, il y aurait eu au moins un peu de tendresse dans leur union, au lieu de toute cette brutalité. Mais, à présent, elle ne se laisserait plus intimider, elle ne céderait plus.

Après le départ de Miguel, elle fut longtemps agitée de tremblements. Ils cessèrent enfin, car, brusquement, elle eut une idée. Un moyen de s'échapper ?

Elle échafauda un plan, puis rejeta les draps et enfila son déshabillé. Après un bain très chaud, elle pourrait peut-être se sentir de nouveau propre. Mais elle s'accouda d'abord à la fenêtre, afin d'étudier le versant de la montagne qui surplombait la vallée à l'est. Il était formé de murailles rocheuses aux fissures profondes, avec, çà et là, des chutes d'eau et une maigre végétation. Ce que Romina cherchait dans cette nature sauvage — et qu'elle finit par détecter avec une joie triomphante — c'était l'empreinte de l'homme. Une ligne mince coupait la façade escarpée de la montagne. Pas une route — c'eût été impossible —, mais une *levada*, un des innombrables conduits qui permettaient d'irriguer les jardins en terrasses de Madère.

Romina savait qu'à côté de la *levada* il devait y avoir un sentier pour les ouvriers chargés de l'entretien. Elle conçut un nouvel espoir et son cœur se mit à battre plus vite.

« Surtout, ne pas donner à Miguel la moindre idée sur mes intentions. » Après le bain, elle enfila donc son jean et le plus épais des deux sweaters, d'un bleu vif. Puis elle chaussa les bottes de peau de chèvre et descendit tranquillement rejoindre son mari sur la véranda, pour le petit déjeuner. Il fallait manger, car elle risquait ensuite de ne rien avaler pendant des heures.

— Tu as l'intention de te promener ? demanda Miguel ironiquement.

— Si tu m'en donnes la permission.

Elle attendit sa réaction avec épouvante. S'il se mettait dans la tête de l'accompagner, son plan serait fichu.

— Tu es libre! dit Miguel en haussant les épaules. Si j'avais su, je t'aurais demandé de m'accompagner hier après-midi. J'en ai profité pour faire le tour de la propriété. Ce matin, hélas! j'ai rendez-vous à Funchal.

Romina tenta une dernière fois de faire appel à sa raison.

— Emmène-moi, Miguel, supplia-t-elle. Après ce qui vient de se passer, tu es bien forcé de reconnaître qu'il n'y a pas d'avenir pour nous. Reconduis-moi à Funchal et laisse-moi au Majestic. Chacun de nous repartira de son côté, et nous ne nous reverrons plus. Tu ne trouves pas que c'est mieux?

— Quoi? Laisser tomber? Après tout le mal que je me suis donné? Tout ça parce que tu es trop têtue pour admettre une simple vérité?

— Au moins, on aurait encore une chance de garder... un peu de respect l'un pour l'autre, balbutia-t-elle.

— Du respect! Quel terme affreusement ennuyeux pour décrire ce que nous ressentons, toi et moi. Non, j'ai une idée, *querida*. J'annule mon rendez-vous et nous irons nous promener *ensemble*. Qui sait? Dans quelque grotte éloignée, après un petit pique-nique, je pourrais te rappeler notre idylle, le jour des *borracheiros*...

L'arrivée de Lucia, apportant des petits pains frais et un autre pot de café, épargna à Romina le besoin de répliquer. « D'abord, manger, se dit-elle, tant que j'en ai l'occasion. » Elle dévora deux petits pains croustillants généreusement tartinés de beurre et de confiture de cerise. Et elle arrosa le tout de deux grandes tasses de café au lait.

Miguel l'observait, amusé.

— Comme tu es affamée, *cara*! Ce sont sûrement tes « activités » de tout à l'heure. Moi aussi, à tous les coups, cela me fait le même effet.

Romina réussit à se contrôler au prix d'un gros effort.

— Est-ce que tu te rends compte, Miguel que tu es l'homme le plus *haïssable* que j'aie eu le malheur de connaître?

— Et tu en as tellement connu!

Il ne souriait plus.

— J'en ai connu suffisamment pour comprendre que tu es une exception odieuse. Cela te semble tellement intelligent de te conduire comme un porc...?

— Je te conseille de mesurer tes propos, Romina, coupa-t-il. Ma patience n'est pas inépuisable.

Il semblait désarçonné, pour une fois, et elle ne put résister à l'envie d'aller un peu plus loin.

— Touché, n'est-ce pas? Ce genre de vérité te fait le plus grand bien, Miguel. Si tu en entendais plus souvent, tu perdrais un peu de ton insupportable arrogance.

Il bondit de sa chaise, et, à l'expression furieuse de son visage, elle crut un moment, horrifiée, qu'il allait la frapper. Mais il se fit visiblement violence et contrôla sa rage.

— Tu peux t'estimer heureuse que je n'aie pas le temps de continuer cette petite joute acide. J'espère qu'à mon retour tu seras d'humeur plus raisonnable.

— Je ne changerai jamais d'avis à ton sujet!

— Je n'en suis pas si sûr que toi, ma chère!

Comme il s'apprêtait à partir, elle demanda :

— Ton fidèle chien de garde est toujours de service, naturellement?

— Pedro connaît son devoir, Romina. On ne peut pas l'acheter, tu l'as découvert toi-même.

— Ah! Il t'a raconté! J'aurais dû m'en douter. Tu as dû menacer ce pauvre homme et sa femme de les mettre à la porte s'ils me laissent m'échapper. Et ils ont peur de toi.

Miguel lui jeta un regard méprisant.

— Evidemment, tu ne peux pas comprendre!

Pedro est d'une loyauté à toute épreuve, non seulement envers moi, mais envers tous les Milaveira. Sa famille travaille pour nous depuis des générations.

– Je vois... Pour lui, tu es le grand seigneur, le maître infaillible. Comme il se trompe, le malheureux!

– Ce qui t'étonnera encore plus, poursuivit Miguel sur un ton excédé, c'est que Pedro fait preuve de la même loyauté à ton égard, parce que tu es ma femme.

– Il a une drôle de façon de le montrer! répliqua-t-elle.

– Mais Pedro pense qu'il te comprend mieux que tu ne te comprends toi-même, *cara*. Une jeune femme en colère peut commettre des actes irréfléchis. Il te protège contre ta propre folie. Il t'empêche de faire quelque chose que tu pourrais regretter amèrement plus tard.

– Il faudra que je le remercie de se donner tant de mal pour rien!

– Ne fais pas l'enfant, Romina. Pedro et sa femme ne veulent que ton bien.

– Oh! Je n'ai rien contre eux. Ce serait stupide. Ils ne savent pas la vérité.

– Bien sûr! La vérité, il n'y a que nous qui la connaissons. Cette vérité que tu refuses obstinément de regarder en face.

Après le départ de Miguel dans la Mercedes blanche, Romina resta prostrée un moment sur sa chaise. Puis, reprenant ses esprits, elle beurra hâtivement les deux petits pains qui restaient et les fourra dans son sac. Elle en aurait peut-être bien besoin.

Elle aperçut Pedro dans le jardin. Elle n'osa pas s'éloigner trop vite, craignant d'éveiller ses soupçons. Elle feignit de traîner sans but autour de la maison, cueillant çà et là une fleur pour en respirer le parfum. Ce faisant, elle s'éloignait peu à peu de Pedro. Une fois certaine qu'il ne pouvait plus la voir, elle se mit à courir le long du chemin qui devait la mener – si ses calculs étaient justes – vers la montagne et la *levada*.

Arrivée au bout du chemin, elle s'arrêta pour respirer. En regardant derrière elle, elle vit ce paysage tellement paisible : la vallée baignée de soleil, et une mince colonne de fumée s'élevant de la maison, au loin, où Lucia préparait sans doute déjà le déjeuner. Une pensée douloureuse l'effleura de nouveau : un paradis ? Non. C'était une prison, sa prison.

Tristement, elle se détourna pour faire face à la dure ascension qui l'attendait. Au-dessus d'elle, la montagne était hérissée de saillies et de fissures béantes et semblait plus hostile que jamais. Là où pouvait s'accrocher une racine poussaient la bruyère, la myrtille et le figuier de barbarie aux fleurs couleur de feu.

Romina se félicita de ses bottes en peau de chèvre. Avec des chaussures ordinaires, elle n'aurait jamais pu continuer. Même ainsi, l'entreprise était terriblement difficile, et elle devait constamment revenir sur ses pas pour contourner un obstacle.

Cependant, elle progressait peu à peu. Chaque fois qu'elle s'arrêtait pour reprendre son souffle, la vallée, au-dessous d'elle, lui paraissait plus petite. Mais elle n'apercevait toujours pas la ligne de la *levada*. Elle espéra de toutes ses forces ne pas s'être trompée dans ses calculs.

Les trente derniers mètres lui coûtèrent une demi-heure d'efforts. Enfin, haletant, la gorge sèche et le front en sueur, elle entendit le murmure de l'eau. Le bruit était si agréable qu'elle crut d'abord à une hallucination. Mais, en se hissant péniblement, elle atteignit enfin son but – un petit sentier courant le long de la *levada*, tous deux creusés à même la roche.

Romina se désaltéra longuement et s'aspergea le visage, avant de se remettre en route. Au début, ce fut facile ; le sentier bien empierré était suffisamment large. En restant près du conduit d'eau, elle ne pouvait pas tomber dans le vide. De toute façon, elle ne risquait pas grand-chose, car la pente était plutôt faible à cet endroit. Elle rencontra cependant d'autres obstacles. Une cascade bondissait en rugissant par-dessus le sentier, elle dut traverser une pluie de fines goutelettes et en ressortit mouillée des pieds à la tête. Plus loin, la *levada* s'enfonçait dans le roc. Elle fut obligée de s'engager sous le tunnel sombre, la tête baissée, et des filets d'eau lui dégoulinèrent dans le cou depuis la voûte humide.

A cent mètres de là, la *levada* bifurquait brusquement le long d'une fissure géante. La paroi de la montagne était verticale et nue. Romina s'arrêta, épouvantée. Comment vaincre le vertige qui l'étourdissait déjà?

Mais, ne pas continuer, c'était admettre la défaite et retourner par où elle était venue, vers sa prison. Non, impossible. Il ne lui restait plus qu'à pénétrer dans le petit canal et à marcher dans l'eau. Elle ôta ses bottes et ses socquettes, et roula les jambes de son jean au-dessus des genoux. Puis elle jeta sur l'épaule son sac avec bottes et socquettes pour garder les mains libres et descendit dans le courant avec précaution.

L'eau était froide et lui arrivait presque aux genoux. Romina avançait avec une lenteur extrême, les yeux rivés obstinément sur l'eau pour ne pas voir le précipice. Elle pensait que cette épreuve ne finirait jamais, quand, soudain, la *levada* bifurqua de nouveau. Le sentier reprenait, assez large et bordé de petites fleurs jaunes. Et ce qui était encore plus rassurant, le flanc de la montagne était à présent en pente douce. Elle sortit de l'eau, s'assit deux minutes pour laisser ses pieds sécher au soleil, puis se rechaussa.

Le passage épineux qu'elle venait de franchir n'était rien en comparaison de celui qui l'attendait plus loin. Au tournant suivant, sentier et *levada* s'étrécissaient au point de ne plus faire ensemble qu'une cinquantaine de centimètres de large à peine – un passage précaire, arraché à une gigantesque muraille rocheuse qui plongeait dans un terrifiant abîme sous ses pieds.

« Je n'y arriverai jamais! » Les larmes lui montèrent aux yeux, des larmes de frustration et de désespoir. Comme Miguel avait eu raison de dire que quelqu'un de sa constitution aurait du mal à s'échapper de cette vallée! « Je ne vais quand même pas abandonner alors que la victoire m'attend sûrement, *sûrement*, un peu plus loin? Il faut que je trouve le courage de continuer. »

Elle le trouva, elle rampa à quatre pattes dans l'eau profonde et froide. Avec un acharnement désespéré, elle s'obligea à progresser centimètre par centimètre. Tout son corps tremblait de terreur et elle sanglotait sans même s'en rendre compte. Mais ce calvaire interminable ne faisait qu'empirer. La *levada* devint bientôt si étroite qu'elle ne pouvait plus s'y tenir, même accroupie. Elle se mit debout lentement, en vacillant, et faillit perdre l'équilibre, prise de vertige. Non, elle ne pouvait pas continuer, malgré les conséquences inévitables qu'elle prévoyait.

Les tempes battantes, la nausée au cœur, elle se tourna avec précaution pour rebrousser chemin. Il fallait absolument gagner un terrain moins dangereux. Mais elle s'aperçut qu'elle ne pouvait entreprendre une seconde fois ce qu'elle venait de réussir au prix de tant d'efforts. La panique la figeait sur place, l'aveuglait.

C'est alors qu'elle entendit, très loin, une voix qui l'appelait. La voix de Miguel! Elle lui parut en cet instant la plus belle voix du monde.

– Romina... tu es là? Romina, mon amour!

10

Etait-ce réellement Miguel, ou quelque tour cruel que lui jouait son imagination enfiévrée? Romina essaya de répondre, mais aucun son ne sortit de sa gorge contractée. Elle resta à genoux dans la *levada*, gémissant au milieu du déferlement de l'eau.

– Romina! Pour l'amour de Dieu, réponds-moi, ma chérie.

Y croyant à peine, elle tenta désespérément de crier et ne réussit qu'à émettre une espèce de croassement. « Mon Dieu, mon Dieu, faites qu'il ne s'en aille pas! »

– Romina... Romina!

Les sons se rapprochaient, leur écho se répercutant de rocher en rocher. Tout à coup, elle aperçut Miguel. Sa silhouette sombre se découpait entre la muraille rocheuse et le bleu aveuglant du ciel. Il courait presque le long du passage étroit, insouciant du danger, frôlant une mort certaine à chaque pas. Dès qu'il vit Romina, il s'arrêta net.

– C'est fini, chérie, dit-il doucement, comme s'il voulait apaiser un enfant. Ne crains rien, mon amour. Je suis là, maintenant. Surtout, ne bouge pas... reste exactement où tu es.

Romina n'aurait bougé pour rien au monde. Avec un mélange de joie et de peur panique, elle regarda approcher Miguel qui ne cessait de lui parler de la même voix rassurante. Quand il fut près d'elle, elle retrouva brusquement un semblant et force et voulut se lever, cherchant à s'accrocher à lui.

– Non! ordonna-t-il fermement. Reste où tu es, chérie, et laisse-moi faire.

Il se baissa avec précaution et finit par s'asseoir sur le sentier, les jambes pendant dans le vide. Puis, ayant assuré sa position, il se tourna vers Romina, toujours à genoux dans l'eau, et la prit dans ses bras. Elle tremblait convulsivement.

– Là, là, *querida*, c'est fini, murmura-t-il en effleurant sa tempe d'un baiser. Ma douce, douce Romina, comme tu as dû souffrir pour en arriver là!

– Je croyais..., sanglota-t-elle, je croyais que le sentier de la *levada* me conduirait vers une maison, et que je finirais par trouver quelqu'un pour me ramener à Funchal.

– Oui, oui, nous en parlerons plus tard. Pour le moment, il faut te sortir de là.

– Peut-être... peut-être que je pourrais revenir en arrière en rampant dans l'eau, si tu es là pour me donner du courage.

Miguel secoua la tête.

– Il faudrait au moins deux heures pour rentrer; épuisée comme tu es, ce n'est pas le moment de faire des tests d'endurance. Non, le mieux, c'est de continuer.

– Je n'y arriverai jamais, balbutia-t-elle, submergée par une nouvelle vague de terreur.

Il la secoua doucement.

– Romina, ma chérie, tu as confiance en moi? Je veux dire... au point de remettre ta vie entre mes mains?

– Oui, murmura-t-elle après une hésitation.

– Alors, je vais te porter, *querida*. Il n'y a plus beaucoup de chemin à faire! Tu sais, ajouta-t-il avec une note d'amertume, que tu as bien failli réussir à m'échapper?

– Miguel... tu ne pourras pas me porter!

– Mais si, souviens-toi. Je ferai une fois de plus le *borracheiro*. Mais il faut que tu sois complètement détendue – aussi inerte qu'une outre de jus de raisin. Tu peux?

– Oui, promit-elle, animée d'un courage tout neuf.

Mais, quand Miguel se leva et la jucha sur ses épaules, elle connut un autre moment de terreur. Elle avait oublié de détourner ses regards du précipice, et sa profondeur vertigineuse lui arracha un cri inarticulé. Tout son corps se raidit.

– Du calme! dit Miguel d'une voix tranquille.

Il rectifia son équilibre et elle obéit, subjuguée, essayant de se décontracter.

– Bravo, approuva-t-il.

Elle n'eut plus du tout peur dès qu'elle ferma les yeux. Miguel se mouvait d'un pas sûr, et elle revit le jour où il l'avait portée de la même façon, même si le sentier était alors loin d'être aussi dangereux. Elle n'en revenait pas d'éprouver un tel détachement, alors que tout péril n'était pas écarté. Déjà, le soleil qui séchait ses vêtements lui caressait agréablement la peau. Elle avait également conscience de l'odeur chaude et virile de Miguel – sueur et eau de toilette confondues.

Pendant ce temps, Miguel n'arrêtait pas de parler, un monologue à voix basse, presque incompréhensible, destiné seulement à calmer Romina. La musique apaisante de sa voix l'enveloppait, la plongeait dans un rêve éveillé d'où les soucis étaient exclus, où elle était en sécurité, où tous deux partageaient une félicité harmonieuse.

– Heureusement que je suis revenu de Funchal plus tôt que prévu. Une espèce d'instinct. J'ai trouvé Pedro au comble de l'anxiété. Tu avais réussi à déjouer sa surveillance, et il ne savait pas ce que tu étais devenue. J'ai eu honte de t'avoir poussée à prendre des risques démesurés. J'ai scruté à la jumelle toutes les pentes de la montagne, centimètre par centimètre. Et, finalement, j'ai aperçu la tache de ton sweater bleu sur le sentier de la *levada*. J'aime autant te dire que j'ai grimpé en un temps record, et...

La voix de Miguel continuait, et Romina savait qu'elle n'avait pas besoin de lui répondre. Au-dessous d'eux, l'eau de la *levada* clapotait doucement. Elle entendit le bêlement surpris d'une chèvre égarée parmi les rochers. Enfin, Miguel s'arrêta.

– Je vais te poser, maintenant, ma chérie. Le pire est passé.

Romina retrouva la terre ferme en vacillant un peu, mais Miguel la retint. Ouvrant les yeux, elle s'aperçut que le sentier était beaucoup plus large et bordé de petits lys sauvages. Il surplombait une autre vallée, baignée de soleil, avec ses vignobles et ses vergers en terrasses formant un patchwork chatoyant.

Mais Romina ne se souciait pas du paysage. Elle ne voyait que Miguel magnifique et fort, rassurant, infiniment aimé.

– Je... J'avais si peur. Ce fut merveilleux d'entendre ta voix... Je n'arrivais pas à croire que c'était *vraiment* toi.

Le regard de Miguel se troubla.

– Oh! Si tu pouvais être toujours aussi heureuse de me voir! Et maintenant, Romina, ajouta-t-il d'un air de défi, quels sont tes sentiments à mon égard?

– Une gratitude immense, bien sûr, et...

– De la gratitude!

Furieux, Miguel la saisit aux épaules avec une véhémence où se retrouvait sa brutalité d'autrefois.

– Tu ne m'as jamais rien dit d'aussi cruel. Et juste au moment où j'avais un nouvel espoir. Je ne veux pas de ta gratitude.

– Mais... je ne comprends pas.

– Quand comprendras-tu donc? Est-ce qu'il faudra encore te garder prisonnière?

Elle poussa un soupir résigné.

– Ce ne sera pas nécessaire, Miguel. Je ne chercherai plus jamais à m'échapper.

– Tu es sincère? (Ses doigts se crispèrent sur sa peau.) Dis-moi pourquoi tu as changé d'avis.

Elle le regarda, étonnée, incapable d'expliquer le chaos de ses émotions. Tout ce dont elle était sûre, définitivement, c'est qu'ils étaient faits pour vivre ensemble. L'idée d'une séparation, désormais, lui semblait impensable.

Avec un incroyable courage, son mari venait de la tirer d'une situation périlleuse, et elle lui en était *reconnaissante*. Mais Miguel ne voulait pas de sa reconnaissance. Peut-être le moment était-il venu de lui faire cet aveu qu'elle lui avait refusé avec tant d'entêtement. C'était le seul moyen de le remercier.

— Miguel... tu avais raison de me reprocher mon manque d'honnêteté, commença-t-elle. Ce que tu disais de moi... c'était la vérité.

— Pour l'amour du ciel, qu'est-ce que ça signifie? De quelle vérité parles-tu, Romina?

C'était cruel, brutal de sa part de la forcer à aller plus loin. Mais, puisqu'il le voulait ainsi, il fallait en passer par là.

— Eh bien, oui, là, physiquement, tu me plais énormément. Chaque fois que tu me prends dans tes bras, chaque fois que tu me touches, tout mon corps répond instinctivement... J'ai beau lutter, je ne peux m'en empêcher. Aucun autre homme ne m'a jamais fait ressentir cela. C'est pourquoi je te promets que je ne jouerai plus jamais la comédie, Miguel. Je serai pour toi... tout ce que tu voudras.

— Quoi! Tu es prête à vivre de nouveau avec moi, à renoncer au divorce uniquement à cause de cette... affinité chimique et volatile entre nous?

— Oui, si c'est ce que tu attends de moi.

Avec horreur, elle vit le visage de Miguel s'empourprer de rage.

— Bon Dieu, bégaya-t-il d'une voix étranglée, tu n'es qu'une sale petite sorcière, tu mériterais...

Mais il se reprit, et ajouta d'un ton las :

— Allons, viens. Retournons vers la civilisation. Je te mettrai dans le prochain avion pour Londres et tu retrouveras ton cher Desmond.

Romina était pétrifiée par cet accès de fureur.

— Miguel, est-ce que... est-ce que tu ne veux plus de moi?

— Pas dans ces conditions. D'ailleurs, tu te heurtes à forte concurrence, ma douce amie. Il ne manque pas de femmes belles et désirables autour de moi.

– Bien sûr. Et tu n'aurais sûrement qu'à lever le petit doigt, balbutia Romina, Oh, Miguel, pourquoi fais-tu toujours en sorte que je te déteste...?

– Et que tu me *désires* en même temps? Air connu. (Il eut un petit rire déplaisant.) Quelle combinaison enivrante, n'est-ce pas? On devrait peut-être, avant de se séparer, s'offrir une dernière petite représentation, histoire de mieux se souvenir l'un de l'autre. L'occasion est tentante – l'herbe tendre, le soleil, la solitude... On ne peut pas rêver mieux.

Les larmes affluèrent aux yeux de Romina.

– Non, jamais plus! s'écria-t-elle en frissonnant. Plus maintenant. C'est fini de me séduire.

Sa sincérité devait paraître indéniable, car elle le vit tressaillir de douleur.

– Pourquoi, Romina? Pourquoi me détestes-tu à ce point?

– Parce que je t'aime tant!

Avant même de s'en rendre compte, Romina avait balbutié cette vérité primordiale, toujours refoulée, toujours présente à son esprit. Effrayée, elle attendit sa réaction, qui vint enfin, après une longue pause incrédule.

– *Qu'est-ce que tu as dit?*

Romina regretta aussitôt d'avoir parlé. Comme Miguel allait se moquer d'elle, maintenant! Comme il allait tourner en dérision sa conception romantique de l'amour. Mais le mal était fait, elle ne pouvait plus nier ce qui lui tenait tant à cœur.

Elle eut un air de défi, mais la tendresse perçait malgré tout dans ses grands yeux bleus.

– J'ai dit que je t'aime, Miguel... Je t'ai toujours aimé, je m'en rends compte maintenant. Je n'y peux rien. Je suis désespérément amoureuse d'un homme qui n'a que du mépris pour ce genre de sentiment. Il faudra que je m'habitue à cette idée.

Le visage de Miguel rayonna de joie.

– Répète, *querida*, répète, murmura-t-il d'une voix rauque. Je n'arrive pas à le croire.

Romina ouvrit des yeux stupéfaits.

– Mais tu méprises l'amour, Miguel.

– Non, non, chérie. Mais comment te reprocher d'en être persuadée? J'ai toujours agi ainsi avec les femmes que j'ai connues, avant de te rencontrer et après que tu m'as abandonné. Pas question d'amour, ni de sentiment. Seulement des rapports directs et loyaux, une liaison entre deux êtres physiquement attirés l'un par l'autre.

Un étrange espoir se faisait jour en Romina. Un espoir qu'elle osait à peine formuler.

– Et avec moi... ce n'était pas la même chose? demanda-t-elle faiblement.

– Non, bien sûr. Ce n'était pas du tout la même chose! dit-il en l'étreignant avec une infinie tendresse. Au début, quand je suis tombé amoureux de toi, *querida*, je me suis dit que c'était une simple passade, rien de plus qu'un désir momentané, parce que tu étais la créature la plus séduisante que j'avais jamais vue. Mais j'ai bien été forcé de reconnaître que le sentiment que j'éprouvais était totalement différent de celui que m'avaient inspiré les autres femmes. Alors, j'ai décidé de t'épouser. Il fallait que tu m'appartiennes, même si tu ne m'aimais pas. Chaque fois que nous faisions l'amour, je tentais d'éveiller ta passion; ton corps adorable réagissait à tout coup à mes caresses, et, pourtant, ton esprit semblait y mettre tellement de réticence que j'en étais malade. Je me répétais que tu ne m'aimerais jamais.

– Mais je t'aimais... je t'aimais! protesta Romina. Il faut me croire, Miguel.

– Je te crois... maintenant. Tu as fini par me convaincre, chérie... Et puis, je crevais de jalousie. Je pensais aux autres hommes que tu avais connus. Tu n'arrêtais pas de t'en vanter. Pourquoi?

– Parce que, moi aussi, j'étais jalouse des autres femmes dans ta vie. Mais toi, Miguel, tu n'avais aucune raison d'être jaloux.

– C'est bien vrai? s'écria-t-il en lui étreignant les mains. Non, je n'ai pas à te le demander. Cela n'a plus d'importance, puisque je sais que tu m'aimes, ma chérie.

– Je répondrai quand même, Miguel. Il n'y a jamais eu personne que toi, je le jure.

– Pas même Desmond? s'émerveilla-t-il.

– Pas même Desmond! Oh! J'ai bien essayé de me persuader que j'étais amoureuse de lui, que nous serions heureux ensemble. Mais je n'ai jamais pu me donner à lui. Au fond de mon cœur, j'ai toujours su qu'il n'était rien pour moi. (Elle le contempla avec amour, ses yeux s'attardant sur chaque trait de son beau visage.) J'étais obsédée par toi, Miguel. C'était là mon problème.

– Si seulement j'avais su... J'ai vécu l'enfer, Romina, parce que... parce que je t'aimais si fort. Lorsque tu es retournée en Angleterre, j'étais anéanti.

– Pourquoi n'as-tu pas essayé de me suivre? demanda-t-elle. J'ai toujours pensé que tu le ferais...

– Je le voulais, Dieu sait à quel point. Mais j'avais l'impression que je n'y gagnerais rien, sinon un peu plus de souffrance. Il *fallait* que tu me reviennes de ton plein gré, en comprenant que tu m'aimais. Quand tu as demandé le divorce, j'ai failli devenir fou. Je n'aurais accepté pour rien au monde, *querida*, parce que, tant que tu étais ma femme, j'avais encore un petit espoir. Je savais, bien sûr, que tu pourrais un jour te passer de mon consentement. C'est pourquoi, à la fin, j'ai décidé de te *forcer* à revenir, sous le prétexte que j'étais prêt à envisager le divorce.

– Mais tu n'aurais pas accepté?

– Certainement pas! Jamais, jamais, je ne me serais résigné à te laisser partir, ma chérie. Je me disais que, si nous nous rencontrions, si je pouvais te faire l'amour encore une fois, tu comprendrais peut-être que tu avais besoin de moi... que tu m'aimais.

– Et moi qui croyais que tu ne cherchais qu'à m'humilier! s'exclama Romina. Lorsqu'on était à la Taverna à Noite, j'ai cru que tu avais hâte d'être libre pour épouser Vicencia.

– Jamais! fit-il, étonné.

150

Se souvenant de l'assurance hautaine de la Portugaise, Romina poursuivit :

— Pourtant, Vicencia s'imagine que tu veux l'épouser, Miguel.

— Eh bien, elle prend ses désirs pour des réalités. Il n'en a jamais été question. Notre liaison ne devait durer qu'un temps, c'était clairement établi dès le départ. Vicencia s'est servie des hommes toute sa vie, mais sa carrière passe avant tout. Quant à moi... tu étais toujours présente à mon esprit, *querida*, et Vicencia le savait. Elle savait également que j'étais déterminé à te conquérir un jour.

— Pourtant, quand tu as accepté de parler du divorce, Vicencia a dû en conclure que tu avais changé d'avis.

— C'est possible. Mais Vicencia est assez intelligente pour se rendre compte que nous n'aurions pas été heureux ensemble. Elle n'est pas mon type de femme, Romina chérie. Comment pourrait-elle l'être, après toi ? Tu es la seule femme que je veux, et je ne t'aurais jamais laissée partir. (Il serra les mâchoires et ses yeux étincelèrent.) Je préférerais te tuer que de te savoir à un autre homme.

Cette menace, proférée dans un moment d'émotion aussi intense, n'effraya pas Romina. Elle eut au contraire une brusque bouffée de chaleur et de tendresse pour son mari.

Un petit oiseau vert s'échappa d'un trou dans le rocher et des papillons se mirent à voleter sur les fleurs sauvages qui poussaient le long de la *levada*. Leur danse légère était le seul mouvement perceptible dans l'immensité de la montagne. Romina et Miguel restaient immobiles, enveloppés de silence, se caressant des yeux. Et ce fut ensemble qu'ils tendirent les bras pour se rejoindre, comme dans un rêve. Serrés l'un contre l'autre, ils échangèrent un baiser empreint de douceur et de respect.

— Je t'aime, *querida*.

— Moi aussi, Miguel... Oh, si tu savais comme je t'aime !

La peur, la fatigue, tout était oublié. Elle ne pensait plus qu'à exprimer la profondeur de cet amour. Elle le sentit frémir entre ses bras, et une merveilleuse vague de désir la submergea. Ici, dans ce décor paradisiaque, ils seraient vraiment l'un à l'autre pour la première fois. On ne pouvait rêver meilleur moment. Elle l'attira encore plus près et enfouit son visage dans son cou. Mais, à son désarroi, Miguel relâcha son étreinte.

— Viens, *querida*, murmura-t-il. Il faut redescendre, maintenant. On trouvera bien un moyen de rentrer à Funchal dans un des hameaux proches.

Romina resta un instant accrochée à lui, cherchant à déchiffrer son expression. Il lui sourit tendrement en répondant à son interrogation muette.

— Bientôt. Je veux que tout soit parfait pour toi, mon amour.

— Mais, maintenant, est-ce que ce n'est pas déjà parfait? trouva-t-elle l'audace de dire.

Miguel ne se laissa pas tenter.

— Non, cette nuit. Nous nous aimerons jusqu'à être épuisés de joie tous les deux. Tu m'envelopperas de toute ta tendresse, et ce sera le vrai premier jour de notre mariage. Viens, ma chérie, aide-moi à tenir ma noble résolution.

Quand ils descendirent dans la vallée, les paysans qui travaillaient sur les terrasses furent plutôt surpris devant l'apparence échevelée de Romina. Miguel les interpella puis traduisit la réponse.

— Il paraît que quelqu'un a une voiture, à un kilomètre environ. On va essayer de discuter avec lui.

Peu après, ils approchèrent d'une fermette aux murs roses. Trois femmes étaient assises au soleil, brodant ce linge fin qui rend les femmes de Madère justement célèbres. Elles s'empressèrent avec sollicitude auprès de Miguel et de Romina. L'une d'elles s'en alla chercher le propriétaire de la voiture, son mari, sans doute. Une autre prépara une collation, tandis que la troisième emmenait Romina dans une petite chambre où se trouvait une table de toilette à l'ancienne, avec sa cuvette et son broc en porce-laine. Romina effaça les traces de boue sur son visage et sur ses mains, se peigna et rajusta du mieux qu'elle put ses vêtements chiffonnés. Puis elle alla rejoindre Miguel à l'ombre d'un citronnier. Ils burent une cruche de vin frais en savourant des gâteaux au miel et des tartelettes aux amandes.

Au bout d'un moment, apparut un petit homme trapu et souriant. Celui-ci fit fièrement sortir sa voiture d'une grange en ruine. C'était une vieille décapotable hoquetante et rouillée.

— Tu as vu cet engin préhistorique, chuchota Miguel. Le trajet va être une rude épreuve, chérie. Quand tu verras les routes...

— Pas d'inquiétude, répondit-elle sur le même ton. J'aurai l'impression d'être la reine dans sa plus belle limousine.

Miguel récompensa leur hôte pour sa généreuse hospitalité, et s'entendit avec lui pour le retour de la voiture. Puis il se glissa au volant, Romina s'installa près de lui, et ils partirent en bondissant et en cahotant sur le sentier, espérant rejoindre au plus vite une route plus praticable. Quand ils appro-chèrent enfin de Funchal, la ville baignait dans la lueur dorée du soleil couchant.

— D'abord au Majestic! décréta Miguel. Tu as besoin d'un bon bain et d'un peu de repos. Ne te presse pas, chérie. Je reviendrai te chercher à 7 heures, d'accord? Nous réglerons ta note, et en-suite... on rentre chez nous!

Chez nous. Deux merveilleux petits mots.

Après avoir pris un bain et s'être changée, Romina dut enfin affronter la corvée qui l'obsédait. Le plus tôt serait le mieux. Elle passa un long moment à élaborer un télégramme pour Desmond, où elle annonçait la rupture de leurs fiançailles. Elle préféra passer sous silence le fait qu'elle avait pris la décision de ne pas l'épouser avant même que Miguel l'ait reconquise. C'était plus gentil. Comme

Desmond avait éprouvé une certaine sympathie pour Miguel, peut-être aurait-il moins de difficulté à comprendre. Une certitude, cependant, la réconfortait : Desmond n'était pas homme à se laisser briser le cœur par les événements. Elle termina en lui souhaitant tout le succès possible dans sa carrière.

Restait à mettre le patron de Romina au courant. Elle avait le sentiment que John Barkwith serait heureux de la voir revenir vers Miguel, et qu'il ne ferait aucune difficulté pour la libérer de son contrat avec l'agence de publicité. « Je lui téléphonerai dès demain matin et lui proposerai de continuer à travailler pour lui de temps en temps. »

Il faudrait aussi résilier le bail de son appartement à Londres, mais elle s'en occuperait en temps voulu. Elle avait enfin un ultime devoir à accomplir. Elle descendit à la recherche des Walters, et fut heureuse de trouver Phoebe, qui lisait seule sur la terrasse de l'hôtel.

– Oh, bonjour, ma chère! s'exclama celle-ci en souriant. Mon Dieu, vous avez l'air radieuse. Asseyez-vous près de moi et racontez-moi tout.

Romina lâcha tout à trac :

– Il s'agit de Miguel et de moi... Nous sommes de nouveau réunis. J'ai voulu vous le dire tout de suite, Phoebe, je savais que cela vous ferait plaisir.

Phoebe lui tapota affectueusement la main.

– Je suis ravie! En fait, ce n'est guère une surprise. Il n'y avait qu'à vous regarder tous les deux, l'autre soir... la conclusion s'imposait toute seule. C'est ce que j'ai dit à Gilbert.

– Votre mari dit que vous ne vous trompez jamais sur ce genre de choses.

– Oh, ça n'a rien de sorcier. Une femme qui est elle-même heureuse sait reconnaître l'amour chez les autres. Et avec vous deux... c'était aveuglant!

7 heures venaient de sonner lorsque Romina et Miguel se mirent en route pour la Quinta da Boa Vista. Ils traversèrent Funchal entre les rangées de jacarandas dont la floraison mauve s'étendait à perte de vue.

– J'ai envoyé un message à Pedro et à Lucia, dit Miguel en regardant Romina à la dérobée. Et j'ai appelé la *quinta*. Les serviteurs étaient fous de joie quand je leur ai annoncé que je te ramenais. Il y a trop longtemps que la *quinta* a besoin d'une maîtresse de maison.

– Je veux en faire un foyer heureux, Miguel, pour tout le monde.

– Comment pourrait-il en être autrement? (Il lui adressa un tendre sourire.) Est-ce que nous allons commencer tout de suite à la peupler de cris d'enfants?

Romina éclata d'un rire léger.

– *Tia* Amalia ne pensait pas à autre chose lorsqu'elle m'a donné l'anneau de Zarco, dit-elle en tendant la main pour montrer qu'elle portait de nouveau la bague d'argent. Tu dois transmettre le tien à notre fils aîné, et le mien reviendra à notre première fille.

– Ainsi, la succession Milaveira sera assurée pour une autre génération, conclut Miguel avec un orgueil non dissimulé.

Soudain, il engagea la voiture le long d'un des belvédères qui bordaient la route, offrant une vue magnifique sur la baie étincelante. Il tira sur le frein à main et, se tournant vers Romina, la prit dans ses bras et l'embrassa avec une passion douce et possessive qui la fit vibrer de tout son corps.

– Mais il y a une meilleure raison que la succession des Milaveira pour fonder une famille, n'est-ce pas, ma chérie? lui murmura-t-il à l'oreille. Quel fou arrogant et stupide j'ai été, en refusant d'admettre ce sentiment enivrant qu'on appelle l'amour! Nous avons perdu trop de temps!

Romina poussa un soupir rêveur.

– Du temps, Miguel chéri? Mais nous avons toute la vie devant nous!

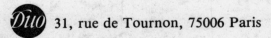 31, rue de Tournon, 75006 Paris

diffusion
France et étranger : Flammarion, Paris
Suisse : Office du Livre, Fribourg
diffusion exclusive
Canada : Éditions Flammarion Ltée, Montréal

Achevé d'imprimer sur les presses de l'imprimerie Brodard et Taupin
7, Bd Romain-Rolland, Montrouge. Usine de La Flèche,
le 1er juin 1982. ISBN : 2 - 277 - 80048 - 1
6988-5 Dépôt Légal juin 1982. Imprimé en France